水墨山水畫創作之研究 / 李沛著. -- 初版. --
臺北市 : 文史哲, 民84
面 ; 公分. -- (藝術叢刊 ; 12)
參考書目:面
ISBN 957-547-934-3(平裝)

1. 中國藝術 - 學識 - 評論

944.4

藝術叢刊 ⑫

水墨山水畫創作之研究

著者：李沛
出版者：文史哲出版社
登記證字號：行政院新聞局局版臺業字五三三七號
發行人：彭正雄
發行所：文史哲出版社
印刷者：文史哲出版社
台北市羅斯福路一段七十二巷四號
郵撥〇五一二八八一二彭正雄帳戶
電話：三五一一〇二八
實價新台幣三二〇元
中華民國八十四年三月初版

ISBN 957-547-934-3

圖一　張大千　春山積翠

圖二　李可染　重巒煙樹夕照中

圖三　明　沈周　山水

圖四　元　吳鎮　清江春曉圖

圖五　元　方從義　惠山舟行圖

圖六　北宋　范寬　谿山行旅圖

圖七　清　王時敏　倣王維江山雪霽圖

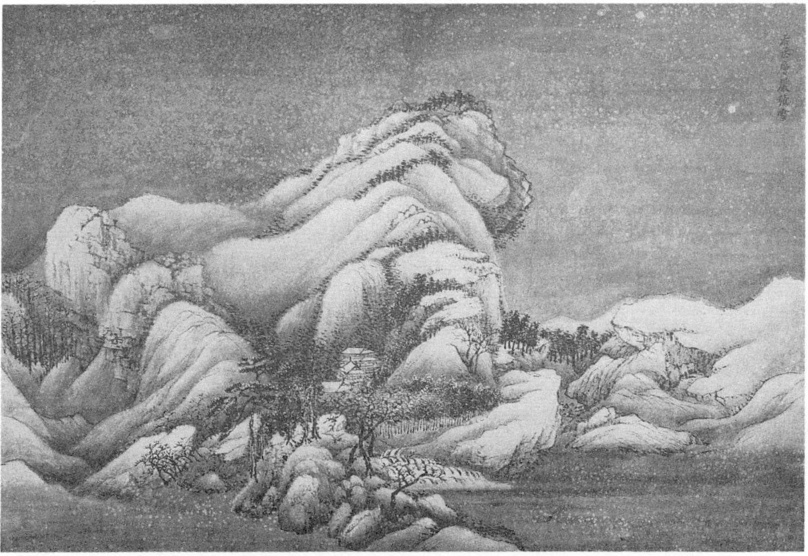

圖八　清　王翬　倣曹知白山水

圖九　元　黃公望　富春山居圖部份

圖十　清　石濤　山水

圖十一　法國　德臘庫瓦　領導民眾的自由女神

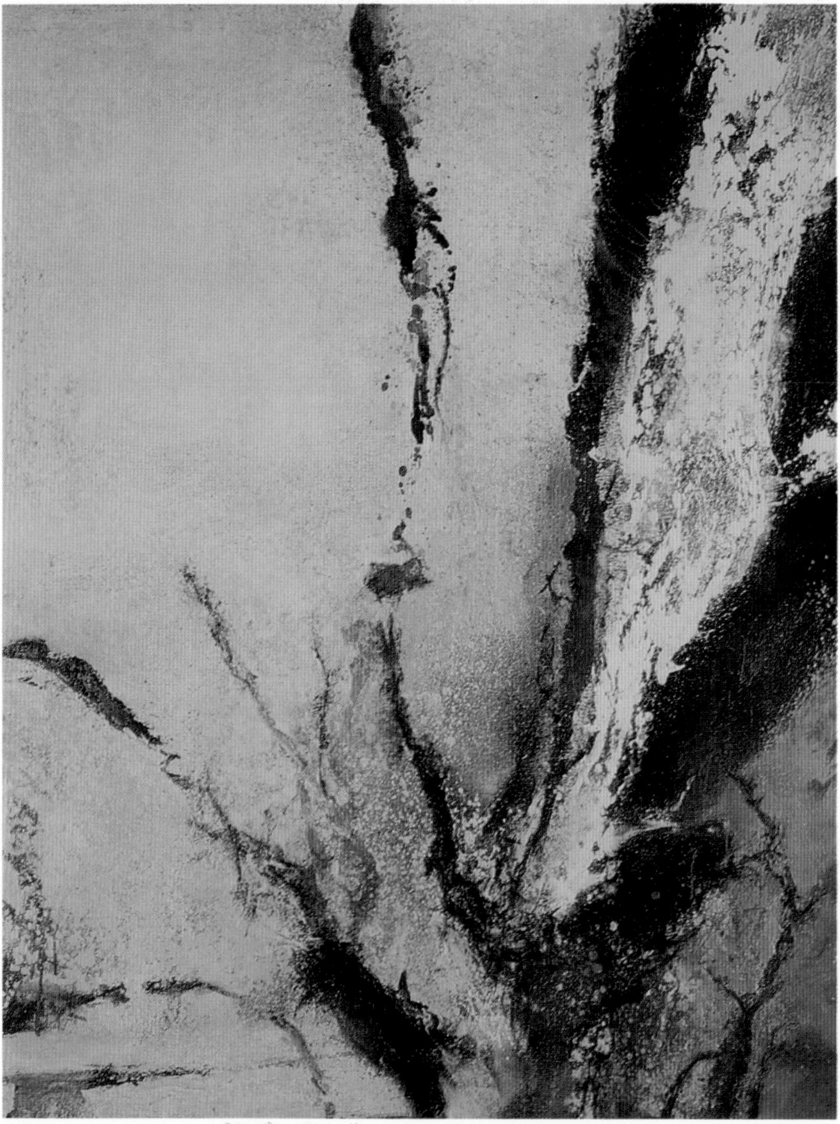

圖十二　趙無極　油畫

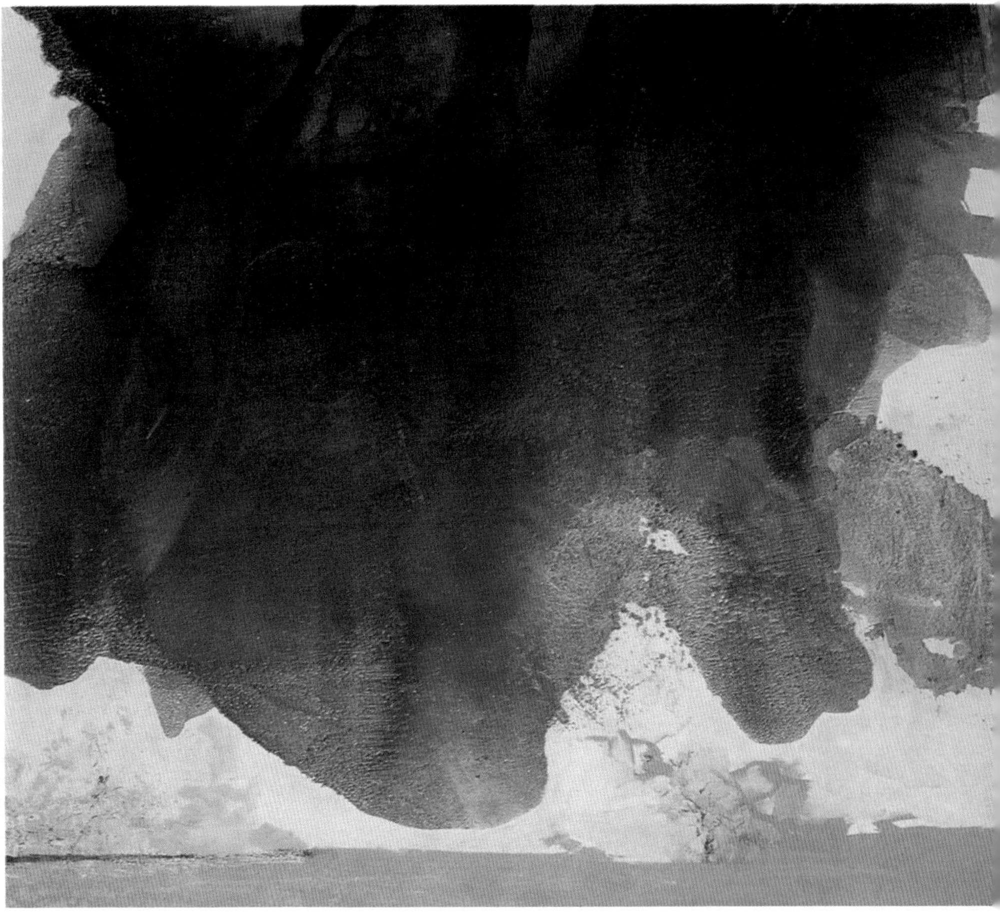

圖十三　趙無極　油畫

自序

水墨山水畫是中國繪畫十三種中之首要，就以水墨而論，是世界畫壇上最具特色的藝術表現。又其意境之深奧，風格之醇芳，不僅是中國畫精華之一，而是影響後世中外繪畫風格之主幹。如何爲水墨山水畫的未來探討出發展的途徑，創作的良法，是本書的研究重點。

由於繪畫創作原本就沒有固定方法，也不當有固定方法，然爲了開發創作水墨山水畫之源流，和拓寬創作範疇，就相關的畫史、畫論、美學、心理學、以及畫家的創作心理，畫品之對照等爲主要資料。應用歸納、分析、比較、判斷等，再以部份圖畫資料爲佐證，作深入而廣泛的研究。

本書分爲八章三十節，而緒論置於第一章之前，茲將緒論與各章節論述重點如下：

首章「緒論」，揭示水墨山水畫的創作發展問題，並說明研究的動機與目的，以及研究的範圍，和資料處理的方法。

第二章「水墨山水畫之價值」，旨在強調山水畫在國畫十三科中居於首位，及寬廣的量，深奧的質，遠能通道，道有一片生機，對人有養心怡性的價值，故分別加以陳述。

第三章「水墨山水畫之特質」，針對歐美繪畫之演進之先後秩序，來比較說明水墨山水畫在時空的超越和質的超越；探討之後，發現水墨山水畫的創作理念比歐美的創作理念要早一千餘年，其風格又深深影響了歐美的現代畫，於是就從筆情墨趣、餘白空靈、詩情畫意、意境參天、文章性的透視等各方面加以印證。

第四章「水墨山水畫創作之停滯原由」，探討水墨山水畫在創作上有僵化之虞，並直接從畫院、文人畫、臨摹以及畫商與資訊四方面作深入而詳盡的分析。以探索其弊端的眞象。

第五章「水墨山水畫創作之心源整合」，是論敘水墨山水畫家的創作心源，畫家的藝術心是繪畫創作的泉源或動力，所以得具備藝術性的，愛心、勤心、膽識、靜心、敏心和想像力等。

第六章「水墨山水畫創作之物源挹取」，水墨山水畫家必須具有創作的藝術心力，才能獲得宇宙物源，如從讀萬卷書行千里路，讀畫與看畫、寫生，從中西融會，留長補短的探析下，獲得許多創作空間。

第七章「水墨山水畫創作之探析」，可行的創作原則如凝神專注、觸類旁通、感動與創作、時代與創作、靈感與創作、化腐朽的神奇、出神入化得心應手等諸多方面之研究。

第八章「結論」，證述水墨山水畫爲國畫之精髓，有許多特質與超越，但也有其缺點，去蕪存菁後，又實有許多可行的創作方向，發展空間，中西交融後，對世界畫壇貢獻尤其鉅大。

本書在撰寫期間，承北師院蔡秋來博士、師大王更生博士、政戰學校楊朝良、谷瑞照、劉建鷗各教授的啓沃，及同學、親友的支持，在此由衷的感謝。並懇請同道先進們賜我教言，作爲再版修訂的參考。

李　沛　序於北投復興崗民國八十三年十月十日

水墨山水畫創作之研究　目次

圖　二：李可染，重巒煙樹夕照中，（香港：翰墨軒公司，名家翰墨四），頁四〇。

圖　三：明，沈周，山水，（台北市：國立故宮博物院）。

圖　四：元，吳鎮，清江春曉圖，（台北市：國立故宮博物院，故宮名畫三百種），頁一六二。

圖　五：元，方從義，惠山舟行圖，（台北市：國立故宮博物院）。

圖　六：北宋，范寬，谿山行旅圖，（台北市：國立故宮博物院）。

圖　七：清，王時敏，倣王維江山雪霽圖，（台北市：國立故宮博物院）。

圖　八：清，王翬，倣曹知白山水，（台北市：國立故宮博物院，故宮名畫三百種），頁二七一、二七二。

圖　九：元，黃公望，富春山居圖部份，（台北市：國立故宮博物院，故宮名畫三百種），頁八五四。

圖　十：清，石濤，山水，（台北市：中國美術出版社，中國名畫家叢書，一九七二年十月初版），頁八五四。

圖十一：法國，德臘庫瓦，領導民衆的自由女神（七月二十八日）一八三〇年油畫，畫260×325 cm 巴黎盧浮美術館藏（台北市：大陸書店，名畫欣賞文庫十三德臘庫瓦，一九七五年一月二十日），頁二八－二九。

第一章 緒論

繪畫藝術中最主要的元素就是畫家、畫品和欣賞者。畫家與畫品之高低是直接成正比的；但畫品之高低與欣賞者之多少，卻成反比。也就是說，眞正好的作品，並不一定會被許多人看得懂，相對的，也許會被那個時代所厭棄，因此，畫家往往一生窮困潦倒。而有的作品並不怎麼好，卻被大衆所喜悅，該作品的畫家也就因此名利雙收、榮華富貴一世了。就因爲在這種莫名其妙的關係中，使得許多畫者就此灰心喪志，對畫變節。另外還有一種畫者，他根本就不知道：不被群衆所欣賞的作品，不一定就是劣等。這兩類的畫者佔極大多數，又在這大多數之中，並非是缺乏天賦，而是既有才氣、肯努力，又有毅力的準名畫家。但因其作品不被當代的群衆擁戴、接受的打擊下，因而平平凡凡的消失了。對個人成敗暫且不論，但這樣對於中外畫壇的推進上，卻是一樁極大的損失。殊不知在繪畫的路程上，有歡笑、有哭泣，亦有僞裝、陷阱和寂寞。這點在俄國大畫家康定斯基（W. Kandinsky 一八六六—一九四四）的言論中說得很透徹，並值得領悟。他說：「藝術家生來不是爲了過愉快生活的，他不能無所事事地活著。他有一項艱苦的工作要完成，這項工作往往是沉重的十字架。」（註一）畫家的工作就是創作，而創作又是一項有水準，卻又沒有一定程度的水準，所以創作工作如同一個沉重的十字架。康定斯基又說：「關於精神生活，不妨用一個巨大的銳角三角形來圖示，並將它水平分割為一些大小不同的部分。頂部為最窄小的部分，這個部分越低，它就越透氣、越深沉和越寬廣。」（註二）這是說畫家生產畫品和大衆欣賞畫品之間的關係，被稱為「精神生活」。他將此比做是一個銳角三角形 **a b c** 來說明，如 **a** 為頂端，最高亦最為窄小，而 **b c** 為底端，卻最平穩寬廣，也最透空氣、舒適。越高越上，其空間就越小、越難、越不透氣。這是用以比喩畫家和畫品上昇後的情況；換言之，越上越難，越下則越容易生活。又說：「整個三角形緩慢地、幾乎不能察覺地在向前和向上運動。今天的頂點的位置，明天將被第二部分取代，今天為頂點所理解的，對三角形的其他部分來說，祇是一種不可理解的聲音。而明天……。」（註三）精神生活的藝術活動是在不知不覺中向前邁進。今天在頂端為第一的位置，明天也許就被原處第二地位者所佔領了。（當然第一仍可自我提昇，或不前進。）這是比喩畫家在創作上的提昇或突破，但站在頂點第一處的畫家，其所理解和感受的，以及所有的吶喊聲，在其他層次的畫者卻都絲毫無法理解，除非他們能親自提昇達到那個地位。

當一位藝術家成名而達到了頂點時，本當是歡喜狂笑，但卻不能盡情的笑，反帶著悲傷。這是因為即使最理解他的朋友、藝術家或師長，也祇因著看不懂、聽不懂他的作品，都反而責罵他是騙子、瘋子，受盡凌辱，無人了解，更無人安慰。因為成名者祇有他一人，如同音樂大師貝多芬（Ludwig Van Beethoven 一七七〇——一八二七德國作曲家）。另一位在同個年代《自由射手》的作曲者韋柏

（一七八六—一八二六德國作曲家），當他談到貝多芬的《第七交響樂》時說：「他那脫穎的才華已到了極限，貝多芬現在該進收容所了。」（註四）這是作曲者韋柏聽不懂貝多芬的曲子時，不僅不肯定貝多芬的藝術頂尖的成就，反而說他已經完了，爛透了！這確實是韋柏的眞心話，因他無法理解貝多芬藝術層次裡的奧秘。接著又有一位被人尊重的神父，他對貝多芬罵道：「他那蹩腳的E調，好像他自己都聽不見，眞是混混，眞是大白痴！」（註五）如此看來貝多芬以智慧、心血所換來的，並不是掌聲而是誤解和凌辱，其心豈不傷感與寂寞！這眞是「曲高和寡」、「高處不勝寒」的寫照了。

昔日貝多芬所受的凌辱、寂寞是如此，而今日中外少數畫家的作品，別人對他的反應也不多是如此嗎？眞的是他那歡愉的目光掩飾著莫大的悲傷！不過在頂端的貝多芬和今日或以後在頂端的水墨山水畫家們，不須悲傷，並不是你的作品不好，而是他們看不懂。應當更具信心的向前再創新，爲的並不是取寵於權威性的外行家，而是專爲千秋大業的繪畫生命力。

具有高品味的水墨山水繪畫，它並不是一件低層次的藝術。因此第一條件是必須具有高品味的畫家，其技術暫且不談。而就「心源」（註六）來說，畫家該具備一顆什麼樣的心，才會創作出眞正的藝術品？而畫家又該用什麼方法，才能獲取到天、地、人當中的繪畫素材呢？所以需研究、歸納與整理出一套原則與方法，來解答郭熙所謂：「所養之不擴充，所覽之不淳熟，所經之不衆多，所取之不精粹。」（註七）等諸多病症與問題。換言之，畫家的創作究竟有什麼樣的奧妙或神秘的能力，應是本書所要研究的重點。

曾見許多年輕畫人，懷著對水墨山水畫的雄心壯志步向繪畫藝術之路，日復一日，年復一年，不眠不休的學習與追求，一不爲名，二不爲利，沒有半點心術不正的觀念，但到頭來，不是將水墨山水畫變成水墨水彩畫，就是在其一門派之下作二流門徒，畫者僅有一點點心得，畫風祇是小小的變化，就要花了一生的時間，其努力成果僅是一丁點的「小改變」，並無法也無能力去突破，遑論能對水墨山水畫有所貢獻。我們不免會問：水墨山水畫是否還有創作發展空間？在世界藝壇上還佔有什麼份量？水墨山水畫是否眞的消沉且已老化到無藥可救了嗎？如果說它根本沒有消沉，更未老化，那麼，毛病究竟出在那裡？其實，水墨山水畫家應有雄心壯志，不僅不願白佔世界藝壇的土地，並且還想對藝壇有所貢獻，以光耀中華文化於永恆。

本書研究的目的，首在探研水墨山水畫值得保留的優點與特質，再探討出其不能創作發展、阻撓創作發展，或不肯創作之種種原因，又在何處？然後對症下藥，提出創作之正道。理性的、公正的、良心的，廣泛的究古探今的、世界性的、未來性的、甚至長遠且永久性的、寬廣而無副作用性的良藥。更重要的且是適合中外美學的與絕對藝術的態度，給水墨山水畫探尋出許多創作的方法。原本創作不當有任何固定的方法，我祇是想提供在創作上一些可行的方向，以及指出那些不可行之路。

筆者以一個水墨山水畫創作事業上從業員的立場，秉持客觀的、理性的、公正的、眞識的、實事求是的態度，從中西、古今山水藝術文獻、美學、畫論、畫史、及相關期刊中，以水墨山水作品爲範圍，作蒐集，歸納、比較、分析、綜合、批評的方法，最後提出建議與結論。本書研究涉及的範圍，限於中國寫意水墨山水畫的創作理論、方法、理念、心理諸方面，且偏重於南宋唐、宋、元之水墨山水畫，及諸朝在野畫家的山水作品，又，清末民國和留學國外對山水水墨畫的創作有成就的畫家，亦列爲研究的範圍。而工筆的鈎勒的工藝美術，及明清和大凡繼承前規者，則未列入研究範圍之內。然而，西方畫論、畫家心得，及美學，祇要對水墨山水畫的創作與開拓上有可借鑑者，則亦著意尋求，以求他山之石，助我研究。

本書戮力於水墨山水畫的創作爲研究目的，所以在水墨山水畫創作的研究過程，列順序如後：

一、緒　論
二、水墨山水畫之價值
三、水墨山水畫之特質
四、水墨山水畫創作之停滯原由
五、水墨山水畫創作之心源整合
六、水墨山水畫創作之物源挹取
七、水墨山水畫創作之探析
八、結　論

若能探出水墨山水畫的眞價值並有可爲之後，繼而探討創作方法，其間首要的是畫家藝術心的開發及導向，藝術心有如潛在心底的人力資源（就是潛能），須經啓發，以變成創作的能力。又如同收音機之電波，必須調對頻道，才能將美好的聲音發放出來，否則，雖是有美好的音樂或其他高貴之節目（潛力），若未對準頻道，將永遠祇是一個鐵匣子似的收音機，直到朽爛，甚是可惜。畫家藝術心這個潛能，同樣需經調撥、引發，對準頻道，才能迸出美麗的藝術火花來。

其次，本書轉向宇宙萬物求取藝術創作的大資源。畫家要向它挹取繪畫的素材與啓示，惟有用畫家藝術的心，開宇宙萬象奧秘的門，畫家的靈眼才可看見奧秘中之珍寶，畫家的巧手才能撿出萬象中之至美。換言之，宇宙萬象雖有至美，並非任何人都能撿來，能看見，甚至能走進藝術之門。對自然靜觀、親切、體察、深思、聯想、變化、寫生，再思考，直到創造。

讀萬卷書，擴大知識，將能通曉中西古今畫理，找出合於自己個性的創作啓示與路線。行千里路和狂思奇想，以達尋得「新奇」之創作目的，並融西方以達水墨山水畫之寬廣與茁壯，約括一代之科學、工商、機械、都市及色彩，其能眼見的，或新或舊，凡畫家身所在、心所索的，皆能化腐朽爲神奇，使萬物皆成爲繪畫之素材，以達開拓創作之新領域、新境界。

本書最後尋找名畫家創作方法上的心路歷程，以資吾輩之舉一反三，又前人創作留下的創作空間，爲了使他們尚未創作出的理念發展能接棒下去，祇要是合理而有創作空間的，皆值得我們繼續開發，皆是我們當爲山水文化盡責的。凡是爲水墨畫創作發展的，畫家即使苦其終生也該爲，若是於水墨畫創作發展有損的、阻撓的、公式的、死樣的、危險的，即使再動聽，也當停住並制止之，凡此皆爲本文所研究的心願。當然，隨著歲月時代的變遷，定有許多新理論和新發現可隨時加入，使中國水墨山水畫之源流更成活水，以光藝壇。

【註釋】

註　一：俄人Wassily Kandinsky著，呂澎譯，「論藝術裡的精神」（台北市：丹青圖書有限公司，一九八七年二月廿八日初版），頁一三〇。

註　二：同註一，頁四二。

註　三：同註一，頁四二。

註　四：同註一，頁四八。

註　五：同註一，頁四八。

註　六：「心源」，唐代張璪說：「外師造化，中得心源。」中國畫論類編（台北市：河洛圖書出版社，一九七五年五月台景印初版），頁一九。

註　七：宋郭熙，「林高泉致」，同註六，頁六三六。

第二章 水墨山水畫之價值

凡從事水墨山水畫之人士，絕非是先看準市場、估定名利價值後，才決心投入其事的；而是有著熱愛、喜好、執著、忠誠與深度的思慮，才會義無反顧的獻上自己，終生執著於它的創新與拓展。究竟從事水墨山水畫者見到了什麼遠景？值得吾人於此犧牲與奉獻？是否水墨山水畫有其拓展的空間和潛力？凡此議題，本章以「價值」爲名，詳細闡析於後。

第一節 國畫中居首位

山水畫在我國繪畫藝術中列首位，早在五代荊浩即曰：「夫山水，乃畫家十三科之首也。」（註一）明朝唐志契曰：「山水第一，竹樹菊石次之，人物花鳥又次之。」（註二）清朝錢杜曰：「畫以山水爲上，寫生次之，人物又其次矣。」（註三）清朝鄭績更清楚的標示出：「然山水諸法，……至元代趙子昂、王叔明、吳仲圭、黃子久、倪雲林、曹雲西、錢舜舉、盛子昭之法乃全，可爲畫學之綱領。畫家應以山水爲主也。……人物、花鳥、獸畜盡在圖中，以爲點景。……此書論山水編列首卷，……誠以山水爲重，不敢輕易視之也。」（註四）在《論山水畫》一書中也說：「山水居首，人物、花鳥居次；山水爲主，人物、花鳥爲襯；此乃多數人之見解，李唐以後傳統上之主張。山水爲國畫之中心，已成定論。」（註五）古今名家都一致肯定：水墨山水畫在中國畫之十三科中居首位，並爲第一大宗。而人物、花鳥、獸畜在山水畫中，祇作點景之用。因此，水墨山水爲國畫之中心已爲公認。但唐代權威畫論專家張彥遠，在《論山水樹石》中說：「魏晉以降，名迹在人間者，皆見之矣。其畫山水，……或水不容泛，或人大於山。」（註六）何故？因爲山水畫發軔甚晚，在東晉顧愷之時始有山水畫，並且還祇當作人物畫的背景，南北朝時又多是釋道人物畫的天下，直至隋朝時代，仍以釋道人物故事畫爲最多。至於其他畫類，逐漸消跡。當時山水雖爲新興畫科，但尚不爲人所重視。正如俞崑說：「宗炳王微等山林高士所提倡之清淡山水，自不合時好，遂至無人過問矣。」（註七）縱使在初唐，俞崑曾曰：「繪畫亦多所蹈習，山水樹石，用筆細緻，刻鏤精細，並無活潑流利之趣味。」（註八）正如清朝布顏圖所云：「蓋山水畫學，始於唐，成於宋，全於元。」布氏同書又曰：「東晉以來，……雖有尺山片水，亦祇畫中襯貼，而無專學。」（註九）

由此可知，自東晉顧愷之到唐朝張彥遠，其間雖有四百餘年，但因歷代帝王對釋道人物之喜愛，以及百姓的篤信，使佛教人物畫盛極一時，幾乎獨佔數代畫史，致使水墨山水畫創作根本不被重視。就評論家所說「山水僅始於唐」。即使在唐朝，才是山水眞正開始之時，這時候的山水畫才略具雛形，因此而遭張彥遠之譏諷也是理所當然，可見那時的山水畫在國畫中也絕不可能居首位，而居首位者定是釋道人物畫了。但據日人大村西崖所說：「漢代繪畫，畫三皇五帝……奇怪神靈等，皆壁畫也。於此……乃寓有勸戒之意也。」（註一〇）談到東晉時代繪畫時，俞崑說：「當時（東晉）佛畫既隨佛教而盛。……竊取佛教之儀式而成爲道教之宣傳品。」（註一一）故早期佛教人物畫並不是藝術品，而是宣傳畫，是些有勸戒之意的壁畫。因此若與山水的藝術畫來比，其居不居首位也就微不足道了。又如說：「人物畫在古代佔有重要地位，然到了隋唐以後，漸爲式微；至宋元代之以山水畫爲主，乃今不替。」（註一二）因人物畫在古代能佔有重要地位的原因，祇爲道教之宣傳品，宣傳品雖能盛極一時，但與永恆的藝術品是無法相提並論的。換言之，繪畫若雖開了藝術本質，而去充當宣傳之工具，豈不已斷定步上末路了嗎！故此宗教人物畫到了隋唐以後，逐漸式微，到宋元起而代之的繪畫，是不爲宣傳祇爲藝術的水墨山水畫。它之所以後來能居上，主要在於水墨山水畫「量的寬廣」與「質的深奧」，更可貴的是，在於其畫境之「遠能通道」且「養心怡性」，凡此論述於後。

第二節　量的寬廣

水墨山水畫包括山川、樹木、花草、房屋、舟船、橋樑、飛鳥、走獸以及人物百態等，又含雲飛、山鳴、風霜、雨露、朝晨、暮夕、春、夏、秋、冬，且還包括天地有形外的無形意境，凡天造地創，皆無所不包了。山水畫家既有如此多的素材和表達的語言，就如同在戰場上的將領擁有精銳的千軍萬馬一樣，祇要指揮得當，何有不勝之理？換言之，祇要是位用心的畫家，必能以此諸多語言，表達出令人喜悅、興奮、悽愴、驚恐等各種感情的內在了。

以上所論之水墨山水畫，尙僅限於山水素材之「有形」。而那「道通天地有形外，思入風雲變化中」之「無形」者，乃是不知名的萬有，同時也是水墨山水畫創作上的無盡素材。水墨山水畫之寬廣度又可從古今名家的名言中，證其眞實：清朝戴熙云：「嘘吸太空，牢籠萬有。」（註一三）清朝王時敏云：「霞思天想，撐霆裂月。意匠經營，冥通神化。」（註一四）試想：在手中宇宙是什麼？山河大地有多少？太虛之體爲何物？冥通神化又有多遠？這種種的無形和抽象，也都涵養在水墨山水畫的範圍之內。

其次，水墨山水畫同時也伸展至西洋水彩畫和油畫的領域，甚至於超越它們。如中國畫散點式文章性的透視法，要比西畫一點透視或二點透視優越；前者是藝術的、自由的、人性的、多變化又不受限制的；後者則是科學的、機械的、受限制又是死板的。後者若應用於建築和其他設計圖則很適當，但對於以心靈事業爲本質的繪畫藝術來說，水墨山水畫的散點透視法卻是遠超過西畫的定規透視法。就水墨用色而言，它可說是中國藝術文化所獨有，在西方任何繪畫中都無法見到，而且墨色是萬色之母。又水墨山水畫中的詩心、畫意、餘白、人品與意境，皆是獨特而罕見，其創作空間是長闊且高深的。而水彩畫的明快流暢的特色，在水墨山水畫中，用中國顏料與墨色融化後的流暢程度和水彩畫比較，祇有超越而無不及，這可從歷代潑墨或大寫意畫中得到證明，如張大千《春山積翠》（圖一）。因中國礦物質製成的中國畫的色彩是獨具特點的，既能混化於墨色的多元變化，又有耐人尋味的穩重、含蓄及不變質、不褪色的優點，加上墨色和墨彩的流暢明快性，正可與水彩比美。換言之，水彩風景畫所能表達的效果，水墨山水畫之色彩或墨彩較之更勝任有餘。再者，油畫風景畫的層次重疊、厚重以及大幅的繪畫等所表現的特點，在水墨山水畫裡，同樣能以墨彩渲染五遍或十遍層次，如李可染的《重巒煙樹夕照中》（圖二），古今皆有。又以粉調諸色彩以成不透明之粉彩，加上原有的不透明墨彩，可層層重疊，產生厚重、深度及層次變化的諸多趣味，又與油畫具有相同層次美的效果。

第三節　質的深奧

宋朝鄧椿所謂：「畫之爲用大矣！盈天地之間者，萬物悉皆含毫運思，曲盡其態。而所以能曲盡者，止一法耳。一者何也？曰：『傳神而已矣。』世徒知人之有神，而不知物之有神。此若虛深鄙衆工，謂雖曰畫而非畫者，蓋祇能傳其形而不能傳其神也。」（註一五）水墨山水畫家不專注於畫物之形，而重寫物之神。何者爲神？這是山水畫「質」的奥秘之一。唐符載曾說：「遺去機巧，意冥玄化。而物在靈府，不在耳目。故得於心，應於手。……氣交沖漠，與神爲徒。若忖短長於隘度，算妍蚩於陋目，凝觚舐墨，依違良久，乃繪物之贅疣也，寧置於齒牙間哉？」（註一六）又記載說：「遺去機巧、意冥玄化，得心應手，與神爲徒等，乃是畫家的最高境界，非胸有浩然之氣、手具熟練技巧不可，如吳道子、王洽均有此風度。並非文人故神其說，但亦非初學勉強可到」（註一七）、「畫固所以象形，然不可求之於形象之中，而當求之於形象之外。如庖丁解牛，以神遇而不以目視，官知止而神欲行，殆斯意也。」（註一八）水墨山水畫最深奧之處，不在寫生、不在眼觀；換言之，寫生、眼觀等等都祇是手段。而眞正目的，是神遇，發於靈府，此所謂「官知止而神欲行」。這些又全在於畫家心靈的修養工夫了。此點在「水墨山水畫創作之心源整合」章節裡再詳作論述與探討。

水墨山水畫的畫境，一向都不是照抄自然景象，也不是自然「形」的剪裁與拼湊，若祇求形似而捨棄意境，則是水墨山水之大忌。所謂畫境，是從畫家有感於自然，後再從心府再造的新自然，這新自然即是藝術品，其藝術品雖不是眞自然，卻有眞自然中的共相，即宋人圖畫中所講的「理」。曰：「宋人圖畫之講理，實爲其一種解放，……往往主天機而達人心，於物理中而求神韻。張懷瓘論曰：『造乎理者，能畫物之妙，昧乎理者，則失物之眞。何哉？蓋天性之機也。性者，天所賦之體；機者，人神之用。機之發，萬變生焉。惟畫造其理者，能因性之自然，究物之微妙。心會神融，默契動靜，察於一毫，投乎萬象；則形質動蕩，氣韻飄然矣。故昧於理者，心爲緒使，性爲物遷，汨於塵坌，擾於利役，徒爲筆墨之所使耳，安足以語天地之眞哉。……』當然以與自我的內感相契合，後乃借書於手。其盡焉者，不但畫物之外部，必須得物之內情。」（註一九）宋朝董逌云：「觀物者必先窮理，理有在者，可以盡察，不必求於形似間也。」（註二〇）

質言之，畫家的水墨山水畫並不是畫自然，而是畫自然的共相。共相，是萬物中的眞與理，或爲萬物的精髓、精神、生命。這些物中的共相，畫裡的理氣，雖是人人共知，但並不是任何一位畫家就能得到的，而是那些有學養品德的才賢、特具藝術心的畫家才能的，則是理正氣淸，胸中必然發出浩蕩之思，筆下乃生奇逸之趣，作品也自然是名作。以鄭昶論《宋之畫學篇》中曰：「夫作畫，既不泥於形象，又不失其眞理。解衣盤礴，自由揮寫，……。宋人論畫之眞正主張，大率類此。故不談畫則已，談輒以神韻爲重。神韻者，心靈與眞理所產生之結晶也。……郭若虛曰：『……嘗試論之，竊觀自古奇蹟，多是軒冕才賢，巖穴上士，依仁遊藝，探賾鉤深，高雅之情，一寄於畫。人品既已高矣，氣韻不得不高；氣韻既已高矣，生動不得不至。所謂神之又神而能精也』。」（註二一）水墨山水畫「質」的深奧由此可窺一斑。

水墨山水畫的深奧，正是水墨山水畫創作無限、發展無窮之精髓。通常都用「神」、「氣韻」、「意境」或「道」等辭彙來表達水墨山水內在的深奧情形。實際上，其深奧性還不止於這些。所謂「淺者見其小，深者見其大」了，其間深淺與奧妙，全在於畫家心的成長。故云：「原因人有是心，爲天地間最靈之物，苟能無所錮蔽，將日引日生，無有窮盡。……要知在天地以靈氣而生物，在人以靈氣而成畫，是以生物無窮盡而畫之出於人亦無窮盡，惟皆出於靈氣，故得神其變化也。」（註二二）

總之，天地間存活著有靈氣的人和已賦與生命氣息的萬象事物，才能使得水墨山水繪畫之創作生生不息。

第四節　遠能通道

道有一片生機，不論是產生於浩瀚的宇宙或人們的心底，都同樣生動、活潑。「山水畫成立於魏晉。」（註二三）而魏晉時代正是玄學家追求「道」的極盛時代，「道」與水墨山水畫間有極密切的關係，水墨山水畫中有「道」，所以水墨山水畫在「道」最盛行的魏晉時代得以成立。

繪畫的靈魂是意境。所謂意境，就是要超出有限的「象」，而到象外的「無」。所謂的「得之於象外」（註二四），或所謂「荒怪軼象外」（註二五），就是意境的創造。這種象外與無限，就必然和「遠」的觀念相聯繫。葉朗所謂：「意境的本質是表現『道』，而『遠』就通向『道』。」（註二六）這種「遠」、「無限」和「道」的關係，正是程子所云的：「道通天地有形外」的無形觀念的最佳註腳。而魏晉時代玄學思想所追求的「道」，在當時可以莊子之學為代表，這是無可置疑的。例如莊子《逍遙遊》中：「游無窮」、「遊乎四海之外」、「樹之於無何有之鄉，廣漠之野，彷徨乎無為其側。」（註二七）這種所謂「無窮」、「四海之外」、「廣漠之野」等等的無限，正說明魏晉時代以莊子思想為代表所追求的「道」。而這個「道」（無窮、無限），也就是以上所說的畫境中「得之於象外」、「荒怪軼象外」之意，也就是「無限」。水墨山水畫中的造型和意境中的「遠」，正是魏晉時代所求之「道」的藏身處，也是將「道」表露無遺的好處所，這也就是所謂「道」與水墨山水畫的密切關係了。

水墨山水畫中的「遠」，不僅涵蓋了高遠、深遠、平遠之有形的三遠，也包括著畫中的餘白。所謂畫中的餘白即是虛，虛是有形之外的無形，因之，餘白還能涵蓋無形的三遠以及《世說新語》中所謂的玄遠、清遠、通遠、體玄識遠、遠志、弘遠等概念。中國其他繪畫題材，如以人物、花鳥、蟲魚、走獸等，多是以清晰明顯、活潑生動之姿態呈現給觀賞者；惟獨山水擁有遠象，能連於無，通於道，意味著無盡的優越。如《中國美學史大綱》著者曰：「山水畫在本質上就是和遠的觀念密切相聯繫的」。中國山水畫從一開始就講究咫尺萬里、講究平遠極目、講究遠景、遠思、遠勢。」（註二八）至於郭熙所說的「三遠」，明薛岡也說：「畫中惟山水義理深，而意趣無窮；故文人之筆，山水常多。」（註二九）這山水自然的傾向，因入人深，托意遠。就因「遠」，把人的精神引向水墨山水畫的大自然中，受洗滌，得安慰，並遠離庸俗且煩擾的社會環境，拋去緊張情緒。山水固然是魏晉玄學家為人類而追求的理想生活境界和精神境界，這也是在當今工商掛帥、重金錢貶精神的社會裡，能使這類分分秒秒被金錢所踐踏的心得到安慰、舒展、療養的好處所，水墨山水畫正是具有此種獨特的價值與功用。

水墨山水畫能使人可觀、可居、可遊，可以神遊其間，樂而忘返。一來是因為山水有遠的境界，欣賞者可隨著景而走進圖畫，經過叢樹、穿過田野、越過山嶺、披著白雲、摸著天頂、仰天長嘯，盡享可居、可遊之樂趣。二來水墨山水畫家所畫的內容本就不依照實景，而是個人理想中的國度和家園的妙境，如「平沙雁落、遠浦歸帆、山市晴嵐、江天暮雪、洞庭秋月、瀟湘夜雨、煙寺晚鐘、漁村落照。」（註三〇）可謂集理想之大成。所以說水墨山水的畫者和觀者，都得到了美的享受。但水墨山水畫不止使人們得以有美的享受，更進一步，還能表現宇宙的一片生機，使宇宙永遠生生不息，並能生動、活潑、積極的運行到永久。這可以葉朗的一段話作爲結論，證明水墨山水以遠通道的眞實價值：「山水本來也是有形質的東西。但是遠景、遠思、遠勢突破山水有限的形質，使人的目光伸展到遠處，並且引發了人的想像，從有限把握到無限。山水的形質是有，而山水的遠景、遠勢則通向無。山水形質的有烘托了極目遠處的無；反過來，極目遠處的無也烘托了山水形質的有。這種有和無、虛和實的統一，就表現了道，表現了宇宙的一片生機。」（註三一）

第五節　養心怡性

陶弘景詩曰：山中何所有，嶺上多白雲，祇可自怡悅，不堪持寄君。山水給人瀟灑、悅目、賞心且雅趣的感受，不管是畫家或欣賞者，皆能體會到山光水色或山容水態之妙，從而興起怡然自得、養心寄情、暢懷舒心的精神形態。例如：「能以筆墨之靈，開拓胸次，而與造物者爭奇者，莫如山水。」（註三二）此言山水畫之美妙可與造物者爭奇了。

無名氏《畫山水歌》曰：「……所以明窗淨几，佳楮輕縑，號爲小墨神仙。遍貌煙霞境界，曲盡變態。眼前景象層層出，筆底江山涎涎生。」（註三三）觀遍煙霞自然之後，在明窗淨几下，舐墨展紙，將眼前景象層層畫出。畫家這種得心應手、樂在其中的創作生活，有如神仙一般。王維詩云：「行到水窮處，坐看雲起時。」這種不受生活所困，隨時都有生活空間，悠然自得的心境，祇有山水畫家和詩人，才能得以享受。《林泉高致》曰：：「君子之所以愛夫山水者，其旨安在？丘園養素，所常處也；泉石嘯傲，所常樂也；漁樵隱逸，所常適也；猿鶴飛鳴，所常親（《美術叢書》、《畫論叢刊》均作視，餘本作觀。）也；塵囂韁鎖，此人情所常厭也；煙霞仙聖，此人情所常願而不得見也。直以太平盛日，君親之心兩隆，苟潔一身，出處節義斯係，豈仁人高蹈遠引，爲離世絕俗之行，而必與箕穎（《畫苑補益》誤爲頻，《畫論叢刊》作穎。）埒素，黃綺同芳哉。白駒之詩，紫芝之詠，皆不得已而長往者也。然則林泉之志，煙霞之侶，夢寐在焉，耳目斷絕。今得妙手，鬱然出之，不下堂筵，坐窮泉壑；猿聲鳥啼，依約在耳；山光水色，滉漾奪目。此豈不快人意，實獲我心哉？此世之所以貴夫畫山（《畫苑補砥》誤畫爲盡。《圖書集成》作畫山水）之本意也。」（註三四）更能體察到山水畫家與欣賞者從山水中所得到的享受。

水墨山水畫所給予人的喜樂，郭熙已將其講盡；其後名家種種說法，不外乎是同意郭熙的說法而已，如張彥遠說：「圖畫者，怡悅情性。」又「宗炳王微皆擬跡，巢由放情林壑，與琴酒而俱適，縱煙霞而獨往。」（註三五）張氏又說：「……於是閒居理氣，拂觴鳴琴，披圖幽對，坐究四荒，不違天勵之藂，獨應無人之野，峰岫嶢嶷，雲林森眇。聖賢映於絕代，萬趣融其神思。余復何爲哉？暢神而已。」（註三六）這是說唐朝張彥遠樂於獨坐在群山荒野之中，若有人問他，這是爲了什麼？答曰：

「全是爲著暢神而已！」山水對張氏的感受是暢快，並可舒展心靈，而我們不也有同感嗎？尼采也說出了藝術的價値：「不經藝術轉化的世界，應本是單調而無聊的，唯有經過藝術的轉化到此境界，世界才能顯出它的價値與意義。」（註三七）朱光潛的《談美》一書中的幾句話也說明怡情養性的價値，其曰：「我堅信中國社會鬧得如此之糟，不完全是制度的問題，是大半由於人心太壞。我堅信情感比理智重要，要洗刷人心，並非幾句道德家言所可了事，一定要從『怡情養性』做起，一定要於飽食暖衣、高官厚祿等等之外，別有較高尙、較純潔的企求。要求人心淨化，先要求人生美化。」（註三八）其言甚是。水墨山水畫是國畫十三科之首，是人們精神的食糧。因其適宜國人愛好自然的心性，且其量的寬闊廣深與包容、質的高雅而貼切、意境致遠而通道等特質，能產生一切生機。山水能將單調與無聊的世界，變化爲光明、美好、和諧而安樂的世界，這就是水墨山水畫無用之大用。

【註釋】

註一：五代荊浩，「山水節要」，中國畫論類編（台北市：河洛圖書出版社，一九七五年五月），頁六一四。
註二：明朝唐志契，「繪事微言論鑒藏」，同註一，頁一二七三。
註三：清朝錢杜，「松壺畫憶」上卷，同註一，頁九三六。
註四：清朝鄭績，「夢幻居畫學簡明」，同註一，頁一二〇九。
註五：伯精等著，「論山水畫」（台北市：台灣學生書局，一九七一年十月初版），頁一三。

註　六：唐朝張彥遠，「論畫山水樹石」，同註一，頁六〇三。
註　七：俞崑，「中國繪畫史」（台北市：華正書局，一九七五年九月台一版），頁八三。
註　八：同註七，頁九八。
註　九：清朝布顏圖，「畫學心法問答」，同註一，頁一九四、一九三。
註一〇：大村西崖著，陳彬龢譯「中國美術史」（台北市：台灣商務印書館，一九六七年三月台一版，一九六八年五月台二版），頁一四—頁一五。
註一一：同註七，頁三四。
註一二：杜學知，「未堂論畫」（台北市，台灣商務印書館，一九七〇年五月初版），頁三六。
註一三：清朝戴熙，「習苦齋畫絮」，同註五，頁二〇。
註一四：清朝王時敏，「畫跋」，同註五，頁二〇。
註一五：宋朝鄧椿，「畫繼雜說」，同註一，頁七五。
註一六：唐朝符載，「觀張員外畫松石序」，同註一，頁二〇。
註一七：同註一，頁二一。
註一八：清朝董棨，「養素居畫學鈎深」，同註一，頁二五三。
註一九：鄭昶，「中國畫學全史」（台北市：台灣中華書局，一九五九年十二月台一版），頁三一三。
註二〇：宋朝董逌，「廣川畫跋」，同註五，頁五〇。

註二一：同註一九，頁三三〇—三三一。

註二二：清朝沈宗騫，「芥舟學畫編」卷一，同註一，頁九〇〇。

註二三：據俞崑「中國繪畫史」，記東晉繪畫上說：「當時佛畫既隨佛教而盛，……同時山水畫亦漸萌芽，行將脫離人物畫之背景而成一獨立之畫科。」同註七，頁三四。

註二四：蘇軾，「題王維、吳道子畫」一詩說：「吳生雖妙絕，猶以畫工論。摩詰得之於象外，有如仙翮謝籠樊。」葉朗，「中國美學史大綱」（台北市：滄浪出版社，一九八六年九月初版），頁二八六。

註二五：蘇軾題「文與可墨竹」詩說：「詩鳴草聖餘，兼入竹三昧，時時出木石，荒怪軼象外。」同註二四，頁二八六。

註二六：同註二四，頁二八七。

註二七：陳鼓應，「莊子今註今譯」上冊（台北市：台灣商務印書館，一九七五年十二月一版，一九九二年十月十一版），逍遙遊，頁一六、二三、三三。

註二八：張彥遠「歷代名畫記」卷七說梁，蕭賁「曾於扇上畫山水，咫尺內萬里可知」。卷八說隋，展子虔「山川咫尺萬里」。卷九說唐，盧棱伽「咫尺間山水寥廓」。卷十說朱審「工畫山水……平遠極目」。杜甫《題王宰畫山水圖歌》說「尤工遠走勢古莫比」。沈括「夢溪筆談」卷十七「圖畫歌」說「荊浩開圖論千里」，又說「董源善畫，尤工秋嵐遠景」，「僧巨然祖述源法，幽情遠思，如睹異景」。皆見註二四，頁二八七。

註二九：同註一二，頁三八。

註三〇：宋朝沈括，「論畫山水」，同註一，頁六二五。

註三一：同註二四，頁二八八。

註三二：明朝徐沁，「明畫錄論畫宮室山水」，同註一，頁七六三。

註三三：明朝無名氏，「畫山水歌」，同註一，頁七六一。

註三四：宋朝郭熙，「林泉高致序」，同註一，頁六三二。

註三五：唐朝張彥遠，「歷代名畫記」（台北市：廣文書局，一九七一年六月初版），頁二〇八。

註三六：同註三五，頁二〇四。

註三七：劉文潭，「現代美學」（台北市：台灣商務印書館，一九六七年七月初版，一九七五年十月五版），頁七一。

註三八：「談美」（台北市：台灣開明書店，一九七一年十月第四版），頁一。

第三章　水墨山水畫之特質

水墨山水畫同於西洋的風景畫，具象包括山川樹木、宇宙萬物；抽象是天地有形外的一切，無所不包。但具有水墨爲形式的山水畫，在世界畫壇上，也唯有中國的水墨山水畫所獨有，因水墨的交融會產生多種墨色的變化，如濃、淡、乾、濕、焦，以及水跡墨印，與流暢中漸層明度，水墨雖是黑色，卻是墨分五彩，又超越五彩，有萬色之母之譽，以一水墨書寫宇宙萬象萬物有餘而無不足，實爲中國山水畫之特色，也是世界畫壇之奇觀。除墨趣外尚有筆情、意境、透視、餘白和詩意，以時空之超越，皆是有別於歐美西畫，並超越於西畫，此種特質一一申論於後：

第一節　時的超越

「外師造化，中得心源」是唐朝張璪的《文通論畫》中所提出的（註一），被視爲中國畫古今創作之準繩。而西方繪畫則日新月異，不時翻新。因此，從西畫不時翻新的演變史中，來探索與「外師造化，中得心源」的脗合度與時間上的超越性。張璪所撰的《文通論畫》，約爲公元七五〇年前後。（註二）文中的「造化」是指大自然萬象，而「心源」則是指畫家的心府。外師造化，中得心源的意義是說，一幅畫品，先得藉助大自然，觀察、領受或受其啓示，之後再經畫家藝術心府的過濾、思考、取捨、轉化、描繪，才成爲藝術品。反言之，大自然並不是一幅畫，若不經過畫家心府處理，也不能謂之藝術品。兪崑在《中國繪畫史》書中，將「外師造化，中得心源」的意義和價値，說得最貼切，他說：「外師造化，中得心源兩語，道盡畫中三昧。師造化，寫生也，得心源，創作也，是作者人格思想之具體表現也。融造化與作家爲一體，既非盲目寫實，又非冥心臆造，藝術至此，已臻神化，不但中國藝術不能出此範圍，即西洋藝術，亦同此理想，要言不煩，千古玉律，爲習畫者所不可不服膺也。」（註三）

筆者正鑒於「外師造化，中得心源」價値之可貴，意義之深廣，與西畫之摹仿自然與否，從歷史的演變上，探其背向或會合。造化既是指自然，就截斷諸流，先從自然主義論起。自然主義起於盧梭（Jean Jaques Rousseau，一七一二—一七七八法國畫家），「他是清教徒，所以他以爲上帝經手創造的東西，本來就是盡美、盡善。人伸手進去攪擾，於是它們才弄糟。人工造作，無論如何精巧，終比不上自然。最聰明的藝術家，就是摹仿自然。」（註四）除盧梭是忠於自然和摹仿自然外，而提倡摹仿自然最有力的是羅斯金（John Ruskin，一八一九—一九〇〇英國藝術批評家）（註五）他說：「人在這個世界裡，所能成就的最偉大的事業，就是睁著眼睛去看，然後把所見到的東西，老老實實地說出來。」、「完美的藝術，都能返照全體自然。不完美的藝術，才有所不屑，有所取捨。」、「純粹主義者揀選精粹，感官主義者雜取粃糠，至於自然主義者，則兼容並包，是粉就拿來製糕餅，是草就拿來做床墊。」(註六)法國古典派畫家安格爾(Jean Augusto Dominique Ingres，一七八〇—一八六七法國畫家)告訴他的學徒說：「你須去臨摹，像傻子一般去臨摹，像一個恭順的奴隸去臨摹你眼睛所見到的。」十九世紀法國雕刻家羅丹(Francois Auguste Rodin，一八四〇—一九一七法國雕刻家)也說：「第一件要事，就是堅信自然全美，記得這個原理，然後睜開眼睛去觀察如果我要改變我們所見到的，加以潤飾，我必定不能作出有價值的東西。」(註七)堅持摹仿自然，回歸自然的畫家和美學家還很多，例如狄德羅(Denis Diderot，一七一三—一七八四)在他著作《畫論》裡說：「凡是自然所造出來的東西，沒有不正確的。」(註八)由上得知，都認爲最偉大的畫家，就是去抄寫自然，愈像愈偉大，但事實上並不全然如此，而且對的是極有限。第一、因爲近年來彩色照相機之精密，速快又逼眞的發明，至今任何偉大的畫家，其作品無法比照相機更逼眞，即使是最快的畫家，也無法與照相機比時速。第二、許多主張摹仿自然的畫家和美學家們，多是當初主張摹仿自然，經過一段時間或工作上的體認後，就自然認爲：單單摹仿自然是不夠的，必須在自然中加些什麼東西。比如歌德(G. W. Goethe，一七四九—一八三二德國大作家)當初所說的是絕對摹仿自然，所以他說：「對藝術家所提出的最高要求是：應該遵守自然、研究自然、摹仿自然，並且應該創造出一種畢肖自然的作品。」(註九)但漸漸的卻提醒人們，不要忘記自然與藝術之間有條巨大的鴻溝，若對自然的全盤摹仿，在任何意義上都是不可能的。所以哥德在《論狄德羅對繪畫的探討》一文中說：「藝術家努力創造的，並不是一件自然作品，而是一種完整的藝術品。自然只是藝術的『材料寶庫』，藝術家祇從中選擇對人是值得願望的和有味道的那一部分，加以藝術處理。」（註一〇）狄德羅是最忠於自然的了，他曾說：「凡是自然所造出來的東西沒有不正確的。」又說：「摹仿性藝術的美是什麼？這種美就是『所描繪的形象與事物的一致』。」（註一一）狄德羅的辯證觀點顯示出他對自然與藝術關係的看法，他一方面始終堅持藝術要摹仿自然，另一方面也再三強調：藝術並不等於自然，摹仿並不等於抄襲。正如他所說：「摹仿自然並不夠，應該摹仿美的自然。因爲自然有時枯燥，藝術卻永遠不能枯燥。」（註一二）康德（Immanuel Kant，一七二四—一八〇四德國大哲學家）的見解也相類似，他說：「自然只有貌似藝術時才顯得美，藝術也只有使人知其爲藝術，而又貌似自然時才顯得美。」（註一三）但後來他卻又說：「美的藝術顯示出它的優越性的地方，在於它把自然中本是醜的或不愉快的事物描寫得美。」（註一四）以上諸名家雖當初崇尚自然，但後來個個卻改變了，而都承認藝術美高於自然美。這已逐漸的接近張璪的外師造化，中得心源的畫理了。也就是說自然雖是很美，並有許多繪畫素材，但總得經過畫家心靈的過濾，撿選後才算繪畫。猶如康德後來所說的，把自然中醜的或不愉快的事物描寫得美。又如哥德前頁所說的，自然只是藝術的材料寶庫，藝術家祇選其中有味道的那一部分，加以藝術處理。證明繪畫不是生的自然，是經心源後的熟自然。

繪畫到了中世紀，主題幾乎全是聖經故事，宗旨是眞誠的故事，可以達到信仰效果，這也如我國人物畫在東晉時祇成爲道教的宣傳畫像，如此便無法評述自然與藝術美的關係了。文藝復興時代，藝術之美仍是向著大自然進軍。例如愛伯提（Alberti）在他的畫論裡說，畫家的職務乃是以線條與色彩的設計，描繪任何現有的物體，並且做到使人感覺：畫出來的東西，看起來就如那現有的物體一般。再如瓦沙里（Glorgio Vasari，一五一一—一五七四）評介馬查喬（Masaccio，一四〇一—一四二八？）的畫時說：「我們應當感謝當代的大師，尤其馬查喬，針對一切由自然所呈現之形成，加以密切模仿，使得它們彷彿是由自然中產生出來的一樣，誰要是造成了這等效果，他就可說是登上了完美無比的最高峰。」證明此時非常忠於自然，評畫也以酷似自然爲高品。的確，希臘時代至十九世紀中葉，除了柏拉圖反對模仿自然外，無一不是強調忠於自然，描繪自然，這觀念一直影響到當今的畫人，及大部分的欣賞者，他們仍認爲畫什麼像什麼才是一流作品。但除了以上所述的，一部分美學名家從摹仿自然，轉變爲不贊同自然，這並不是矛盾，而是從體驗中得到的眞理，就是：自然並不是全美，藝術並不是抄襲自然，自然若要變成藝術美，必須經過藝術家的加工。如德籍的黑格爾（Georg Wilhelm Friedrich Hegel，一七七〇—一八三一）在他所著的《美學》裡肯定的說：「藝術美高於自然。因爲藝術美是由心靈產生和再生的，心靈和它的產生，比自然和它的現象高多少，藝術美也就比自然美高多少。」（註一五）黑格爾的語言有如春雷，驚醒了冬眠久睡的「抄襲自然」，正如朱光潛所說：「黑格爾不但反對當時正猖獗病態的浪漫主義及頹廢主義，而且也反對當時初露萌芽的自然主義傾向，反對把逼肖自然作爲藝術的標準，要求藝術把本質的東西『提煉』出來，把偶然的東西『清洗』出來。」（註一六）這種春雷的觀念，到了一八九〇年的美國大畫家惠斯勒（James Abbott Mcneill Whistler,一八三四—一九九〇美國畫家）（註一七）。他晚年說：自然很少是對的，它所能提供的，充其量祇是一些美的原料。這些原料必須經過藝術家的選擇與運用，而後在一個新的組合中，藝術家所要實現的美才能充分的顯現。惠斯勒更強調的說：「摹倣是屬於最劣筆的藝術。」（註一八）惠斯勒的論調如當頭棒喝敲醒了「摹倣自然就是對的」的風氣影響下的迷失者。的確，自然所能提供的只是美的原料，想使原料變成一個完美的繪畫，必須得經過畫家對於美的選擇與實用，而後作出一個新的組合才行。藝術品，惟有藝術家才能創作出來，並不是任何人皆能從自然中挖一塊，剪一片即可得的。換言之，自然中有美有醜，惟有藝術素養的畫家，才能夠取美棄醜而成好畫。關於自然究竟對於畫家所提供之美的成份有多少的看法，要算法國畫家德臘庫瓦（Paul Delacroix,一七九八—一八六三）所說的最中肯了，他說：「自然只是一部字典，不是一部書。」（註一九）也就是說自然只是畫的元素，而不是一幅畫。是的，人儘管都有本字典，可是用這字典裡的字，所寫出來的詩辭、文章，就全靠個人的詩文才華了。並且這些詩文雖是字典中之文字，卻不能說它即是模仿或抄襲，如同西廂記、紅樓夢中的每個字，都是字典中所有的，但是從字典中總找不到任何一章節的紅樓夢或西廂記。

自然中所藏的美，對畫家來說，可謂十九世紀至今，總算有了正確的觀念，他們並不含糊，從忠於自然、模仿自然、反對自然，到包容自然、撿選自然、組合自然，這一大圈的尋找、奮鬥，最後眞沒料到，又如落葉歸根似的，落到早年唐代張璪大師所說的「外師造化，中得心源」這句話上了。模仿，寫實本是繪畫者不可缺少的工夫，但這只是技巧的、觀察的、啓示的訓練，並不是畫家的最終目標。畫家目標是創作，創作除畫家的技巧外，更需要畫家的藝術心源。技巧能描繪出畫的形和色，而藝術心才能辨別美、吸取美、配合美，就連形與色，也得包括在內，如此才能形成光輝、和諧美的畫面。

西洋風景畫在印象派以前，多是以追隨「自然」爲能事，作品就變成了千篇一律，但自印象派以後，畫家就不再臨摹自然，而開始安排自然、再現自然、分析自然、感受自然了。美是存在於自然界客體中的，但自然並不是完全美，也不盡隨時隨地皆是美，然而自然美必須要經過畫家的發掘，和心源的過濾。經過數世紀的演變所產生的理論，正是中國早在中唐（西元七五〇年）間，張璪所說「外師造化，中得心源」道理的總結。惠斯勒（一八三四－一九九〇）、德臘庫瓦（一七九八－一八六三）二人，其中以惠斯勒理論成熟年是一八九〇年，德臘庫瓦是在一八六三年之前，而張璪與惠斯勒及德臘庫瓦所講的畫理意義是不謀而合的，這中西兩者時間（七五〇－一八九〇或一八六三）相比，中國的理論遠遠早了一千多年，這種時間上的超越性，不僅證明中國先賢智慧的高明，同時也是世界藝壇上的一大美事！

第二節　空的超越

若說水墨山水畫是超越空間的，等於說水墨山水畫有其可貴的本質。不受任何空間的限制，可達及古今中外。如虞君質說：「傑作不僅由產生它的時代及環境裡面看來是超越的，就是由任何環境、任何時代來看也無不如此。」（註二〇）或者說儘管是一件中國古代的繪畫品，它可以使現代的中國人產生美感，同樣也可以使現代中國以外的人們產生美感，這就說明中國繪畫在空間上的超越性了。換言之，好的作品不僅是屬本土本民的，也是他族他民的，正如法國的左來斯（Jean Jcunes，一八五九－一九一四）曾說：「眞正的國家的，也是就是世界的」（註二一）就是這個道理。

中國繪畫之所以有空間的超越性，在於中國文化向來的包容、接納與同化的美德所致。茲將其超越性論述於下：

一、東方繪畫以中國繪畫為主導

現在的東方國家除中國以外，要算日本、韓國、印度、新加坡、馬來西亞等南洋地帶。西方美術起源於埃及、希臘，而昌盛於文藝復興時代；東方美術則以印度及中國爲代表，但中國又吸收了印度的佛教文化，使中國繪畫產生了空前的新穎與豐盛。況且印度早年的繪畫文化是與希臘文化互相接觸、融合、陶冶後而成的新繪畫，所以於其說中國吸收與融化了印度繪畫，也如同說吸收融化了希臘繪畫藝術。這先是希臘文化溶入了印度文化，再由印度文化輸入中國，經中國的吸收同化後，變爲中國文化，尤其佛教藝術文化最爲顯著，而現在印度漸漸沒落，獨留下茁壯的中國藝術文化。這種文化演變的結果正如法國的學者福歇（M. Foucher）所說：「……這很明顯的，在我們想像中，一個歐亞混血兒，他的父親是希臘的藝術家，母親是信佛教的印度人，這兩方同化的良好的遺傳，即在雕匠的斧鑿下，亦含有兩種性格和諧的表現。……犍陀羅人的佛像的形狀，有希臘式的捲髮，披以教徒式的外衣，希臘印度化的痕跡，顯而易見，這種作風一直影響到中國。」（註二二）由此中可證明中國藝術由希臘、印度融化後的雄偉粗壯形象。就由於中國藝術文化之優秀卓越，而遠流於東方的日本、韓國及南洋，並及中東諸國。如虞君質的《藝術論叢》說：「例如日本美術在中古時代以前即由中國大量輸入，而其美術的年歷亦僅及中國的三分之一。同時因爲中國對外的交通貿易逐漸開展，使本身創造的美術作品大量流落海外，致使波斯及東土耳其斯坦等地也都一致感染了中國美術的精神。」（註二三）中國繪畫傳至日本落葉生根已是不爭的實事，就當今的水墨畫及畫法，無一不與中國雷同。鄭昶在《中國畫學全史》中曰：「唐代中期日本人，傳其畫法以去，如彼京都東福寺之釋迦三尊像，紫野大德寺之中尊觀音像，及其左右之山水畫，皆與道玄之畫風相彷彿，彼國美術家亦承認而樂道之。」（註二四）

中國繪畫傳至韓國早在魏晉時代，又如鄭昶在《魏晉之畫學》中說：「……如朝鮮半島，亦於當時輸入我國文明，而連帶及於繪畫……。中國文化，逐漸輸入半島，朝鮮受此影響，凡百事物，燦然一新。蓋當高麗小獸林王元年，秦王苻堅遣使於秦。於是朝鮮半島，皆被中國文化，而繪畫亦因宗教而傳播焉。」（註二五）

總而言之，水墨山水畫的空間之超越性是遠而闊的，先是吸收了希臘、印度早期的藝術文化，中經同化，改良精進後，又傳播到今日的韓國、日本與南洋諸島。但在這吐納之間，卻形成極大的差異，主因是由於中國文化悠久深固，又加同化力強，所收納的希臘、印度藝術，全然消化後變成中國的藝術文化，幾乎無留痕跡。然而種播於日、韓等地的中國藝術文化者，至今仍全然帶著中國的面貌，無法消化，更無法超越中國，由此更證明中國水墨山水畫在空間方面的超越性是眞實的。凡東方水墨山水畫者皆是以中國爲主導，已是不爭之事實。

二、中國繪畫遠及歐美

東方繪畫大都既以中國爲代表，而因東西交通之頻繁，凡與東方任何國家接觸後，當吸收其繪畫文化時，就如同吸收了中國的繪畫藝術。如容天圻的《庸齋談藝錄》中說：「十九世紀末葉，西方藝術家因受日本版畫的影響，而產生了後期印象派的畫風，追本窮源則是間接受到中國書畫的影響，至現代繪畫掘起後，中國繪畫主觀又不重形似的畫風，以及其特殊的透視方法、空間的空白、書法的線條、鐘鼎文字、甲骨古文的抽象意義，爲西方藝術作了最好的借鑑。於是中國藝術與歐美目前所風行的抽象藝術畫風遙遙相接，甚至有殊途同歸的跡象。」（註二六）這都是中國畫的畫法與意境上不僅不落後，而且在空間上早已遠及歐美，並影響至深。

西洋畫界在近百年來，忽然起了大革命，使千餘年來的西洋畫面目爲之一新，使昔日之寫實轉爲寫意，最顯著的代表當是後期印象派，此畫派一向爲歐美畫壇的主將，影響波及世界各國，探其革命之來源實爲東方藝術之影響。據留在中國大陸的老畫家丰子愷所說，其原由爲三：

㈠一八五七年，在曼徹斯特博覽會中，陳列西班牙畫家的作品。西班牙與日本交通甚早，其畫家委拉斯凱茲及哥雅等，早受日本畫影響，用明快的色彩，清新的構圖。此種東洋風俗品，最初給西洋畫革命的暗示。

㈡其後十年，即一八六七年，巴黎博覽會中，陳列日本版畫甚多。日本版畫者，猶中國之繡像木刻圖也。此種輕快陸離的表現，與昔苦澀沉重的西洋畫相並列，比較之下，清濁迴異，巧拙判然。遂使法國藝術家竟捨故技，刻意摹仿。此爲西洋畫革命之策動。

㈢其後三年，即一八七〇年，普法之戰起，法國藝術家避難於荷蘭。荷蘭與東洋交通甚早，其博物館中藏有日本畫甚多。流離的藝術家，皆消磨其日月於博物館中。彼等在東洋畫的新天地中觀摩欣賞，終於悟得表現的技法，遂在油畫布上，試作龍蛇飛動的線條、單純明快的配色，以及清新雋逸的構圖。初期「印象派」，更進而爲「後期印象派」，再進而爲「野獸派」。千餘年來囚於客觀摹仿的西洋畫，至此遂大解放，而爲陶寫胸懷，發揮主觀的自由藝術矣。故近世西洋畫，可謂「東洋畫化」。此非吾之臆說，現代歐洲有名之藝術批評家謨爾，在其名著《十九世紀法國繪畫史》中詳明言之：「……日本畫者，中國畫之一小支流也。」（註二七）

以上所述西班牙畫家因受日本畫風之影響，種下西洋畫革命之種子。又加上法國畫家們不論在巴黎博覽會中，或荷蘭博物館中，都閱覽了日本多種畫品，以致使他們悟得了表現的技法，遂在油畫布上，作龍蛇飛動的線條、單純明快的配色，以及清新雋逸的構圖，更可觀的是帶出了印象派，後期印象派，再進而爲野獸派，其影響幅度之寬度與巨大，不無不震撼世界畫壇。

虞君質的《藝術論叢》上也說出歐洲繪畫是受中國繪畫藝術之影響，尤其中國山水畫之影響爲深，虞君質說：「……十七八世紀時，歐洲人說中國的絲綠、陶磁、繪畫各方面汲取了美術的靈感，產生了羅可可式的美術。……羅可可式的代表作家應該以華都（Watteau）爲首屈一指。在華都的作品裡面表現的東方夢幻情調，可以說完全從中國繪畫學來的。萊歇懷恩（Reichwein）批評『揚帆赴西塞臘島』（Embarkation for Cythera）時說：『任何研究宋代山水畫的人，馬上可以看出它們與華都所用山水背景的關係。……華都愛用單色畫山水背景，這是中國山水畫明顯的特徵……』。」（註二八）從此種種看來，更可以證明中國繪畫空間上的超越性，自有其歷史上的淵源。

三、中西畫交融中的超越

一九六一年，我國行政院應美國方面的邀請，將故宮、中央兩院藝術品共二五三件運往美國，決定在華盛頓、紐約、波士頓、芝加哥、舊金山等五大城市，作爲期半年的展出。在這次展出期間，受到美國觀衆的熱烈讚揚。「《華盛頓郵報》藝術評論家阿蘭女士說：『一個無可倫比的展覽，連平時不易被嚇倒的藝術評論家，也有辭窮之感。這次中國藝術傑作的展覽，對華盛頓各界人士是一輩子也很難得再有的機會。』華盛頓的明星藝術評論家白麗曼女士說：『如此美麗珍貴的展覽，就是要爬過重山，也得去看。華盛頓有幸，這個無以比擬的展覽要停兩個月，任何看過之後而不想一而再、再而三的復看，這個人不是眼睛不靈，就是腦子有了毛病。』華盛頓《生活（Life）雜誌》，除以長達十五頁的篇幅介紹精緻的中國畫以外，該雜誌的發行人魯斯先生，並在我國國慶日舉行了一個三千人的酒會，以慶祝這次畫展的成功。」（註二九）

以上所述都是該次我國故宮和中央兩院藝術品在展出時，美國人們的接受與贊賞所造成震撼，其間繪畫藝術又以水墨山水最爲突顯，不僅產生了藝術文化的交融效應，更產生了繪畫技術上、思想上的種種影響。中國遠居東亞，這次僅以兩院部份所藏展出，震驚了美國諸大城市，足證在空間上的超越性。

在一九六一年這次赴美的故宮及中央的展出藝術文物中，對中國水墨山水畫之評定尤爲優越。如倫敦《泰晤士報導》曰：「嚴峻的北宋畫派，由於它的宏偉壯觀，更廣闊的自然視野，駁斥了任何這種觀念，並且在這次展覽中提供了最令人屛息的風景畫（水墨山水畫）。對於西方人的感覺而言，這些畫中的山、瀑布和湖泊的奧妙，含有英國詩人華茲華斯的韻味。在這些作品前，人們會一再想到歐洲浪漫派的手法，艾爾多佛爾或者羅沙多瘤節的樹和蠻荒的岩石，以及那些以驚懼的神情凝視著阿爾卑斯山的英國水彩畫家的作品一般。另一方面，歐洲浪漫派從來沒有精神方面的高尚的、寧靜，這種精神，甚至表現出這些風景畫最雄壯的特質。」（註三〇）此次展品中最得好評的北宋范寬的《谿山行旅圖》和南宋夏珪的《溪山清遠圖》長卷，皆是水墨山水畫，此二幅是公元九六〇—一一二七四年間的水墨山水畫作品，而另一幅《潑墨仙人》則是八百多年前，梁楷的大寫意水墨山水畫。質言之，中國水墨交融的書法，不論用於人物或山水，其畫法是相同的。而震撼美國之畫壇之巨力也是相同的。

水墨山水畫，除了皴法中，線條長短快慢的韻律感；墨彩的濃中帶溫，溫中帶老潤等種種變化之外，就其氣勢之雄偉、佈局之奇特、透視點之無定處，就令他們歎爲觀止了。首先使他們想問的是：圖中的水墨山水在中國的什麼地方？這眞被問住了。因爲什麼地方都沒有畫中的山與水，也無畫中的樹與人，這一切種種都是從水墨山水畫家的心源裡的再造物。因此與他們現今的新畫派風格也就不謀而合了。中國水墨山水畫在國際畫壇空間的超越性，已被西方知名的評論家所肯定，且無庸置疑的。

第三節　質的超越

水墨山水畫之所以有時空的超越性，和歷久彌新之魅力，並非是它畫風的標新立異，或朝夕之多變，而是在於它有可貴的本質，質是經千年萬載淘汰後留下來的精金，也是水墨山水畫的內容與根。敍析如下：

一、筆情墨趣

筆情墨趣，是中國繪畫與西畫最不同之處。西畫重視光、面與色彩；而中國畫則是線的世界，又有視水墨爲至寶之特質。謝赫所謂「骨法用筆」，張彥遠說「墨分五彩」是也。若得骨法的精神者，是先有用筆的情感，筆的輕重巧拙，可見荊浩《山水節要》中所說：「凡描枝柯、葦草、樓閣、舟車之類，運筆使巧；山石、坡崖、蒼林、老樹，運筆宜拙」（註三一）又說「遠則宜輕，近則宜重。」（註三二）宇宙萬象、萬物質量不同，剛柔有別，但能以一管之筆，擬太虛之體爲能事，全靠運筆之巧拙功夫及用筆之輕重了。從明朝李開先《中麓畫品》中，可證明筆法對中國畫的重要：「畫有六要；一曰神筆法：縱橫妙理神化。二日清筆法：簡俊瑩潔，疏豁虛明。三日老筆法：如蒼藤古柏，峻石屈鐵，玉坼缶罅。四日勁筆法：如強弓巨弩，彍機蹶發。五日活筆法：筆勢飛走，乍徐還疾，倏聚忽散。六日潤筆法：含滋蘊彩，生氣藹然。」（註三三）神、清、老、勁、活、潤等六種筆法，是學習中國畫者的入門要道，同時也是與西畫截然不同之處。現在不少畫者，只知用水墨宣紙與毛筆，來畫風景、人物、瓜果、蔬菜等；但若是只知光線、形體，而不懂得運用以上六種筆法，充其量只能稱其作品爲「西式的墨色水彩畫」，不能稱之爲「中國畫」。再看王原祁對筆的使用原則：「用筆忌滑、忌軟、忌硬、忌重而滯、忌率而溷、忌明淨而膩、忌叢雜而亂。又不可有意者好筆，有意去累筆。從容不迫，由淡入濃，磊落者存之，甜俗者刪之，纖弱者足之，板重者破之。」（註三四）凡此尚止於用筆的技法，而更深的是心靈的運筆，清朝唐岱《繪事發微》中說：「用筆之法，在乎心使腕運，要剛中帶柔，能收能放，不爲筆使。」（註三五）昔人所說：「『筆力能扛鼎』，就是用以形容氣之沉著的情形，凡下筆當以氣爲主，氣到力便到，下筆如若筆中有物，所謂『下筆有神』者此也。」（註三六）以上用筆所謂「剛中帶柔」、「筆力能扛鼎」、「下筆如有神」正是沈周筆上工夫的寫照，如俞崑《中國繪畫史》說沈周「其筆勁力如鐵畫銀鉤，力可扛鼎，而又無一毫霸悍之氣」的《山水》（圖三）。中國畫用筆之妙存乎一心，因心是感情之源，所以筆之快慢緩急、乾濕屈直，就像是旋律，卻也是畫者感情的流露。

國畫所謂墨分五彩，即是濃、淡、乾、濕、焦等等不同的墨色層次，墨不是西畫中的「黑」，它是萬色之母、萬象之本。唐朝張彥遠在《歷代名畫記》中云：「夫陰陽陶蒸，萬像錯布。玄化亡言，神工獨運。草木敷榮，不待丹碌之采。雲雪飄颺，不待鉛粉而白。山不待空青而翠，鳳不待五色而綷；是故運墨而五色具。」（註三七）可知不論風霜雨露，無視萬紫千紅，只一墨即可表現萬象。所謂用墨無它，唯在潔淨。潔淨自能活潑，姜白石說：「人品不高，用墨無法。」（註三八）自淡至濃，次第增添，因是常法。日人橋本關雪說：「在墨，有西洋畫之色所不能有之複雜之色。」同書同頁記載日本小杉未醒說：「古之中國人，關於水墨之研究與苦心，任何國家，任何畫風，皆非其比。」（註三九）另一位日人紀義一說的更深刻：「看遍了彩色畫，畫盡了彩色畫的人，才能作墨畫。」同書記載日本又一位評論家也說：「墨畫是不知彩色時代的產物，又是知盡所有彩色後之產物。」（註四〇）這幾位日本學人敏銳的言論，已說盡了墨色之美及墨中之哲理，這遠比我們中國人自己述說墨色如何美要好多了，如此既客觀，又可避諱我們的自誇。

中國畫本源始於書法，用墨寫字，於是用墨寫各樣東西之形為畫。如四君子「梅蘭竹菊」。四者既可列入書法，也可稱之爲畫，因用筆墨都是書法，但寫後所成之形又是梅蘭竹菊，古人畫的多是墨竹、墨梅、墨蘭、墨菊並少有顏色的。到唐朝王維又特主張繪畫以墨爲上，他的破墨最爲有名。同時又有王洽的潑墨，無形無象，全看水墨世界千變萬化的墨趣美了。宋朝米芾更是墨筆大混點，淋漓盡致的點了滿紙，即所謂的米家山水。正如俞劍華在《中國繪畫史》上冊說：「五代至北宋水墨佔優勢，李成、范寬、董源、二米均屬水墨派。」（註四二）北宋固然如此，而南宋著名畫家馬遠、夏珪，其畫幅上墨色清澈，如鍵盤上之音符，強弱有致。如南宋夏珪的《晴江歸棹圖》，說：「錢塘夏禹玉，畫筆蒼老，墨汁淋漓。當代的梁楷，使用純一的墨色，把握了全部精神，並配合墨的明暗，使水墨淋漓酣暢。一氣之下寫出具象中有抽象的詩人李白（畫名爲《潑墨仙人》），其境更是墨趣盡致，凌駕古人。王蒙、吳鎮都是用墨高手，尤其吳鎮的水墨更是臻入穩健、古樸、渾厚之妙境如《清江春曉圖》（圖四）。元代王冕畫梅用墨而不用色，評其梅畫爲「無聲之詩」，其人也被稱「王墨」，明清畫家也多以墨爲主，因此畫上用墨在世界藝壇上成爲中國畫獨一的特質。姚夢谷在《美術學報》說出了水墨的箇中消息：「水墨筆的意趣，最主要的還是思想問題。當古代文人們厭棄了丹青的絢爛，而歸於水墨之平淡同時，在繪畫的觀念上，亦復趨於創新。他們對於大自然對象的體認，已經從外在的形貌，推及到內在的精神，落墨揮灑。不再以客觀去博取形似，而是以主觀去捕捉神韻，物我不是對立，乃是兩相冥合。宋明理學更進一步把思想推波助瀾，於是水墨畫的成就，也隨之踏上巔峰。古代文人每喜將這種畫稱爲「寫意」，他所寫的，是自家主觀所契合的大自然之靈魂，色彩之有無，固然不關得失；形

似與否，亦在所不計；王洽的潑墨、米氏的潑墨之所以創立，青藤、白楊之所以追踪，皆歸源於此一思想爲誘發。」（註四二）

至今，筆情墨趣已是中國畫家智慧權的印記，中唐至今寫意山水畫，尤以水墨爲主，因此水墨已是中國繪畫顯而易見的獨特風格。凡是看到這種穩重、優美、趣味墨韻、骨法線條的繪畫，自然都會說：這必是源流於中國的繪畫！

二、餘白空靈

中國繪畫多是留有寬廣的餘白，西畫則多是全幅畫滿；前者所代表的是宇宙的整體，後者僅是割取了自然的一角，如同透過室內的一個窗子，祇能看到室外的一個片段。因爲西畫多是從自然裡挑選美好的一塊，後以優良技術與適當的取捨，將凡能看到的景物，比照著畫在畫框內。這些眼目僅能看得到的東西，或許能給人有動靜、旋律、和平、寧靜、自在、懷念或感傷……的感動。但是這總是宇宙的部分而非全貌，在感覺上它是有限的，甚至於是不夠滿足的或遺憾的。而水墨山水畫則不然，除西畫上的有限，再加以中國透視方法上多點的轉變與聯合，更重要的是餘白中的無限，餘白的無限是視覺無法達及的部分，同時也是筆墨無法表現的範疇。這有限加無限才是完整的宇宙；換言之，眼睛所看到的有限，加上餘白所含的無限，才能算是浩大的宇宙，而不再僅是宇宙一部分了。所以水墨山水畫就是物象加餘白所構成的整體。因爲凡能畫出來的，都是有限的；因此當欣賞作品時，非得一邊看，並一邊去妙悟餘白不可。

餘白，就是無著筆墨痕跡的空白處，它是音樂上偶然中的「休止符」，是文章中的「言外之意」，是書法上的「佈白」。在音樂上，是以「但識琴中趣，何勞絃上音」微妙的描寫。白居易在《琵琶行》中曾形容聲音中途休止的情景，說道：「水泉冷澀絃凝絕，凝絕不通聲漸歇，別有幽愁闇恨生，此時無聲勝有聲。」（註四三）無聲就是音樂上的餘白。白居易以琵琶絃代訴衷情，但音聲已盡，言語也窮，而深沉的憂愁，還是無法彈出來，只有將內心種種情境寄託在絃外的無聲音調上了，況且這無聲的絃律更能引人入勝。正是我國人所說的「絃外之音」，「不著一字，盡得風流」。（註四四）音樂上的「絃外之音」，與文章中的「言外之意」，往往可以將我們的思維導向於無窮，再如李後主的詞：「問君能有幾多愁，恰似一江春水向東流。」心靈深處的哀愁，正像一江無邊無盡的東流水，祇能體會，何以言狀。又如唐朝錢起的《湘靈鼓琴》：「曲終人散，江上數峰青」（註四五），沒有一個字是涉及詩人的情緒，然而一種淒涼的神情，卻流露於字裡行間。像這種「無言之語」的文字，眞是到達了「味在酸鹹之外」的含蓄境界；又如方虛谷所謂：「淡中藏美麗，虛處著工夫。」（註四六）

中國書法講求佈白，白者卻是線與線之間的白紙處。這種佈白尤其在字與字之間，行與行之隔，都要保有適當的餘白關係，並形成藝術的關係。有律動有空間、有輕重有均衡、有變化有調和，以作成有機的配合美。所謂「計白當黑」，意思是說一幅字裡，如何使白的紙與黑的字，佈計到恰到好處之調和，也不失無限的生動美感。書法到了草書，已達於藝術的最高境界，就因它變化的伸縮性極大，而且筆劃與筆劃間，時時相連屬，其血脈精神之貫通，更爲顯著所致。所以說書法上之佈白與黑字之線條有平分秋色之功。所以一氣寫出來的字，和拼集書法名家的字安排聚集在一起，就大大的不同了。因爲在字的個體上來說，個個都是完美無缺；但是拼集的字與字之間，卻少了字間的血脈和生命之氣；這種集字，在外體是像，但卻是無生命之軀殼，因爲根本就沒有書家的佈白，祇是集字者的拚湊，由此可知佈白之重要可想而知了。這些書法上的「佈白」、文章上的「言外之意」、音樂上的「絃外之音」的重要性，皆是繪畫裡餘白之最好說明。

宇宙間的事物是如此複雜，許許多多的事或物，對人來說都是未知數，這些都是意，意是深長的、未知的、直覺的、啓示的，甚至是飄渺而不可思議的。正如我們常說：「畫以意爲主」或「言以達意」，這就是畫中意。意也如畫上的餘白，音樂上的休止符。中國水墨山水畫的深遠性、超越性就在於此。質言之，畫家儘管千筆萬塗、加加添添、紙盡技窮，總無法畫盡世間的奧秘；然而餘白雖無一點墨，卻能讓有心人的靈性與思維任情奔馳，並在這餘白上獲得無窮的妙悟與享受。所以可以肯定的說：一位畫家若是握不住餘白之妙，全幅畫已經是一無是處了。中國凡是有風品的畫家，都知道有畫之處固然是畫，而無畫之處更是畫。清代笪重光說明了此中意義，他說：「空本難圖實景清而空景現……無畫處皆成妙景。」（註四七）這無畫之處正是妙景所在，所謂的無畫處就是畫中的餘白。

畫中的餘白，並不等於一張白紙，即使是一張白紙也不得稱之爲餘白，而是要與筆墨作有機配合的白紙，才是餘白。白本是潔淨亮麗之表達，白又能使人輕快而無壓迫感，白也是墨黑色的對比，能使黑色更凸顯。由於白的優點與作用，所以在水墨山畫上，通常餘白之處，如天空留白，河水、平地不畫，也只留白；至多是天白之處畫飛鳥，水白之處畫舟船，地白之處置房屋或雞鴨等，如元朝方從義的《惠山舟行圖》（圖五），更微妙的使用是在主體的外邊，用虛白了了帶過，顯示出主體的獨立、突出及明顯，這正是虛實相生的道理。在現景處、主體旁，並非眞的無美好可觀的景物，而是爲了凸顯主體，而將其淡化、省略與虛化了。此種巧妙的安排是繪畫中的藝術，而非照相手法所能辦到。另如「山高雲來斷」，其意義是說：要想使山顯得高聳，其方法便是將山畫斷，山斷所留的白紙部分，是代表雲，此雲之白也是留白之一。雲之畫與不畫，並非是實景地方眞的有雲或無雲，而是爲了整幅畫的氣氛及佈局，或爲了使山能感覺得更高，才畫出雲來的。餘白是畫家留給欣賞者的休息空間，可以休息及靜思，並與畫家聊聊。同時畫家也給自己的創作能力、瀟灑、膽識及個性一個考驗：何處當留白？該不該留白？放不放得下？再者，白在畫上來說也是一種色彩（雖屬無彩色），因它明度高，又不會干擾別的色彩，並且能增強畫面的明度和彩度，使畫面更明快凸顯與豐富。「餘白」是中國水墨山水畫與西洋風景畫，大爲不同點之一。餘白能使水墨山水畫呈現多變化、富意境，更增添了水墨山水畫特質的重要角色。

三、詩情畫意

水墨山水畫的另一項特質是畫中有詩。古時畫家多是先學會作詩再作畫，皆是滿腹經文的讀書人，有感想而發爲吟詩，即興而寫畫。因爲詩與畫都是作家抒發心情的工具，所以有時成詩詞，有時成繪畫，使詩、畫同源於心。於是雖有畫面，卻更有詩心。反之，若畫家當初沒有感動，也沒有詩心的引發，他是無法畫出畫來的，甚至根本就不想去畫它，因爲那是椿無意義的舉動。這可以一句形容王維的話來說明爲恰當：「詩中有畫，畫中有詩」。所以，中國畫與詩的關係是密不可分的，以至於在現代畫家的畫上，仍題有今詩或古詩，這種獨特的風格，與西畫的水彩、油畫或版畫等只有簽名是大不相同的。

中國繪畫的詩趣發展到今天，分爲兩種類型：一種是詩與畫的表面結合。就是用繪畫來描寫詩意，使詩意與畫意一致；或者就將詩句題在畫上，用以互相襯托，成爲一種有機的結合。關於這一類作品，可以宋朝的院畫作品作爲代表。當時畫院的考試方法，就是選一句古詩爲題，以命畫家巧思才情來描寫它。如「踏花歸去馬蹄香、嫩綠枝頭紅一點、惱人春色不在多、竹鎖橋色賣酒家。」另一種是畫與詩的內面結合，就是畫的意境、佈局、筆墨、色彩及作畫時的心情、韻律完全詩化，使畫的本身就等於一首詩。這種作風爲唐代王維所創，正統的文人畫都是屬於這一類。這兩種詩趣顯然有所分別：前者是畫與詩互相依賴，畫因詩而增趣，同時詩也因畫而更活現，兩者密不可分。後者則是融詩入畫，畫畫並不必依賴詩題自能獨立，正所謂畫是無聲的詩。如此比較起來，尤以後者爲中國畫的特點。因爲前者是偏差的：理由是畫不能獨立，且流於詩的插圖。畫本應是獨立的，祇是藉著畫家而將詩的心、詩的感情，以畫筆表露出來。所表現出的是作者的感情，如詩一樣美的感情，而不是無動於衷的景物描寫。雖說可以表之於詩，但這種有情的美感，若專由繪畫的姿態呈現於人，跟詩是不同的。因爲畫比詩更爲快速，而且是立刻可就能將全部顯現於觀者眼前的；所以可見得畫比詩，對人有更直接而親切的豐富享受，即使不識字的人也能得到看的享受。

詩心是畫家的血肉，但不包括詩的押韻和格律，甚至會不會作詩都不重要。重要的是要有與詩人相同的心與情。繪畫與詩人作詩一樣，所需的是感情深處的那分動力和摧逼。這點在西洋畫家而言，當然也有這種感情和摧心之力。而中國畫是強調先有詩情，如文人畫家先墊好了詩心，而作爲畫之基礎。作畫就像詩人一樣，須先有感而發。若說中國畫一定要先作好詩，再依詩而畫，豈不就是說畫因詩而存在，畫變成詩之依附了嗎？那麼唐詩三百首，不正好當做畫題藍本了嗎？當然不是，就是現代人特意以唐詩中的詩句作畫，也是不合適的。因爲唐詩僅是當時唐代某一位詩人，因時、因地、因感而發出的心聲；現代的畫家並不是那位詩人，所以更不會有全然的心境去感觸，怎可用他的詩來作畫呢？若勉強去畫詩句，這也是抄襲、臨摹，與我國眞正要發展的詩情畫意有極大差異。再者，畫上題詩是視畫的內涵與畫面之需要而定的；換言之，題詩是可有可無的，若是畫意已足，畫面均衡，其動靜、強弱皆已足夠，絕不可畫蛇添足再去題詩。如此一來，不僅影響畫面的平衡，再者更可能誤導和限制繪畫內涵中的深廣性。

畫家的心與詩人的心都是相同的，所以說：「詩人常常聽見子規的啼血、秋蟲的促織、看見桃花的笑東風、蝴蝶的送春歸。」（註四八）這並不是瘋話，而是詩人的身心已投入美的世界中，並把心意溶合在萬物裡，同時能切實地感受到這些情景。畫家、詩人的心境雖然相同，祇是畫家更注重萬物的形式及姿態。好比沒有體會到駿馬的活潑力量就無法畫墨馬；沒有體會得到松柏之勁秀不能畫松柏一樣。當畫到朝陽，則心要能與朝陽的光芒一同放射；畫到少女，就要有柔婉的心與少女相共鳴。這正是詩人與畫家物我一體，卻又略有不同的一種境界了。

詩心與畫心同是細膩、敏銳、且有寬度的。這種心是深深的寄託在天地之中，認爲一切都是有生命的；雖然只是一枝枯木、一塊怪石，在這種心中仍然認爲它是有感情的，而敏銳地將萬物都擬人化了。在詩人與畫家的心中，世界是一視同仁的世界；換言之，是平等、自由的世界，這種心對於萬象、萬物都是熱愛的，都是：「在美的世界中，皆成爲有靈魂而能泣、能笑的活物了。」（註四九）

然而，詩與畫的領域又有所不同，各有其空間和體態。詩與畫的不同性，正如藝術評論家所說：「發現其中的某些規律更多地統轄著畫，而另一些規律卻更多地統轄著詩。」（註五〇）然而，兩者卻仍有密不可分的關係。所以接著說道：「在後一種情況之下，詩可以提供事例來說明畫；而在前一種情況之下，畫也可以提供事例來說明詩。」（註五一）在水墨山水畫與詩之間，祇可以無意的溶化、融入，不可刻意並有意的結合。因此，水墨山水畫最大的獨特性，是在於有詩人的情懷和心境，因感興而寫出畫，而此畫絕不是詩，但卻有濃厚的詩心。這種發自詩心及畫意所產生的畫，是水墨山水畫獨有且普遍的特質，在西畫裡則是偶而有之。

四、意境參天

現實世界是單調的、有限的；而心目中的宇宙才是新奇的、無窮的。通常人的感情祇能及於人，最多達於物；但藝術家的感情則格外的深廣，能與天地的造化之心同等，能及於有情和無情的萬物。藝術家的心在面對現實世界之美時，總還嫌不夠的加以探索和表揚，總想多伸觸角於天地有形外的美境中去探討。這有點像科學家在現有地球上所作的活動探索，因深感不足，所以就不斷的飛向其他星球探索未知的外太空一樣。確實，若以有限的現境，加上無限的天外境界，才能使繪畫的意境更爲豐盛，也更爲神秘。

意境是水墨山水畫藝術的生命。一幅畫若失去了生命，即使筆墨再活、佈局再奇，仍只是軀殼，徒具形象。所以高越的意境才是畫家終生追尋的目標，清代王原祁說：「若命意不高、眼光不利，雖渲染周緻，終屬隔膜。」又說：「意在筆先，爲畫中要訣。」（註五二）「意在筆先」此句早在唐朝王維時就說過，由此更證明意在畫中的重要。尤其可貴的是王原祁將「意」具象化、方法化：「作畫於搦管時，須要安閒恬適，掃盡俗腸，默對素幅，凝神靜氣。看高下，審左右，幅內幅外，來路去路，胸有成竹；然後濡毫吮墨，先定氣勢，次分間架，次布疏密，次別濃淡，轉換敲擊，東呼西應，自然水到渠成，天然湊拍，其爲淋漓盡致無疑矣。」（註五三）又如宋朝郭若虛曰：「謝赫六法精論，萬古不移。然而骨法用筆以下五法可學，其如氣韻，必在生知，固不可以巧密得，復不可以歲月到。默契神會，不知然而然也。……故楊氏不能授其師，輪扁不能傳其子。繫乎得自天機，出於靈府也。且如世之相押字之術，謂之心印。本自心源，想成形跡，跡與心合，是之謂印。爰及萬法，緣慮施爲，隨心所合，皆得名印。矧乎書畫，發之於情思，契之於綃楮，則非印而何？押字且存諸貴賤禍福，書畫豈逃乎氣韻高卑。」（註五四）氣韻是天賦，並不是經過努力或長久的時間就能得到的氣韻的。因爲沒有任何方法或師承能夠得到氣韻的，就是父傳子也不可能，只因爲它是由於天機，出於靈府，每人皆獨自與天有直的關係，並無任何父子、師徒橫的關係的。氣韻就是意境的解釋，若能識得氣韻，即能識得意境，不論得力於氣韻或意境；此時，意境也深，氣韻也高了，也就是好畫。鄧椿曰：「畫之爲用大矣！盈天下之間者，萬物悉爲合毫運思，曲盡其態，而所以能曲盡者，止一法耳。一者何也？曰：『傳神而已矣。』世徒知人之有神，而不知物之有神，此若虛深鄙衆工，謂雖曰畫而非畫者，蓋止能傳其形不能傳其神也。故畫法以氣韻生動爲第一，而若虛獨歸於軒冕巖穴，有以哉！」（註五五）以上所述傳神的作品，是得自天機、出乎靈府，天機、靈府皆是有參於天、源於神，並非平凡之人可爲也。

中國畫境另一種表達方式，稱爲象徵，象徵定義可以說是寓理於象，是在詩中常見的擬人和托物的象徵表達方法，托物者大半不願直言心事，故以婉轉的隱語出之。如曹子建被兄長所迫，須在七步路的時間內作好一首詩，其所成詩曰：「煮豆燃豆萁，豆在釜中泣。本是同根生，相煎何太急。」而中國畫的象徵也如同詩一樣，將隱而不願直言之情，以托物方法表達出來，發揮了警惕深省與含蓄的效果。如取材方面，寫雪山爲表示高潔；寫牡丹爲表示富貴；畫花卉是表示香艷、美麗；寫竹則是表示高風亮節。在畫法表達方面，如含景色於草昧之中，味之無窮；或狀風光於掩映之際，覽之愈新；

從密緻之中，自兼曠遠；在率易之內，又轉見秀娟；天之高處即空處，水之靜即動時，諸如此類，不勝枚舉。這些在在都是美妙境界，於是畫家就在畫中追求境界了。而畫物象的眞與似，已爲次要。因此久而久之，評定畫的優劣，則爲專看意境之高低了。明代道濟說：「得乾坤之理者，山川之質也；得筆墨之法者，山川之法也。知其飾而非理，其理危矣。知其質而非法，其法微矣。故畫之理，筆之法，不過天地之質與飾也。萬物變幻，而以一畫測之，即可參天地之化育也。……我有是一畫，能貫山川之形神。」（註五六）既由這精深的見解中道出了：畫家若能以「一畫」而達參天地之化育的境界，其中的創作發展廣且深，同時也給予了中國後代的水墨山水畫家一個重大的使命，也說明了中國畫家不可輕易封稱名畫家或畫家。因爲畫家必需具有相當程度的學養、天賦、努力和靈性，才能到達參天地之化育，才能轉成繪畫的境界，再訴諸於畫面上了。

境有實有虛，平時所看到的，如高樓大廈、如竹林雅舍、如水天一色、如疏影橫枝，將之圖於畫上，定其實境。實境爲終日常見，看久必生厭，所以需要些新奇而理想的境地，於是畫家把實境加以變化，甚至與實境無關的全然虛構，但只要合乎畫者的理想，這就是虛境。虛境猶如陶淵明《桃花源》中所描述之理想國一樣：虛無、幻想並可愛溫馨而引人嚮往。這例子在山水畫中最易看出：畫家不一定是親自看見這景致才作畫，因此畫家作畫是絕對自由的。譬如想到：最好在白雲深處，結個茅廬，四圍都是重疊的青山。前有百丈蒼松，後有掛空瀑布，我在其間嘯傲自得。此時伸紙抽毫，頃刻間把這境界畫出而神遊其間，這是何等瀟灑、何等自由自在？這不正是陶淵明的理想國嗎？所以中國繪畫可說是絕對的注重內心表現，而以形爲心之役者。

最能表達作者的理想就是虛境，虛境並不是非親至或要寫生不可。譬如你沒到過黃山，但也不必眞的親臨，只須心意到即可。不管是從書上讀到的、或自某處聽到的，或看照片的（但不可以臨摹照片就謂之爲畫），或自己經驗過的，或由心中塑造出來的，因實景的描寫不重要，而畫家自我心境之創作更重要；所以一切虛境都可作如是觀。實境、虛境雖皆有形象，但卻缺少意義，如將竹林雅舍，隱於桃花源中，其境界自有不同；如疏影橫枝，倩以佳人，則另有一番韻味。所以繪畫是思想的運用，畫家必須有靈性、有感受、有意境，才能創作出令人寓目不忘的作品。這意象、境界，也只有畫家才能創造出來。畫家借實境來感受並賦予虛境靈魂，構出一個超然的世界。清代笪重光說：「空本難圖，實景清而空景現。神無可繪，眞境逼而神境生，……虛實相生，無畫處皆成妙景。眞境現時，豈關多筆，眼光收處，不在全圖。」（註五七）這裡所謂的空，就是意境。實景之清就是淨化，無畫處的畫都存在心靈之中，而畫家的心正隱藏著天地間的一切妙境。眼光收處，不在全圖，意指還有許多意義，並不能在圖畫的內容中全部看到，卻可在視線之外的無窮中意會。

總之，中國繪畫是門深奧的學問，而非一件簡單的技術，因爲繪畫的意境是那麼的浩翰高妙。但意境究竟要如何獲得呢？獲得方法有二：一是天資，一是力學。最優秀畫家的產生是天資加上力學。天資是與生俱來的靈性，這類人對於繪畫的一切道理都很容易參悟與貫通，所以他表現於畫面的境界自然不俗。這麼說來繪畫應純屬於天才的事業了！但事先又有誰能預知，誰才是該從事繪畫的最佳人選呢？當然不是如此的。原因在於：其一、你若從事繪畫，自然你的天資久而久之會導向於繪畫的。其二、繪畫的天賦，可經由後天力學，進而冥想通天了。換言之，有天賦卻沒有力學，天賦最後會消失。有力學卻沒有天賦，也只能從中得到思悟以破天賦之限。比如杜甫說：讀書破萬卷，下筆如有神。所謂如有神，即是天賦如同神所賜予，而神所賜予就是天賦。力學，是指飽詩書、勵情操、敦人品、靜思悟，後得天賦，最後意境必能參天，作品自然能神也！亦妙也！亦逸也！

五、文章性的透視

繪畫藝術是將寬闊而高深的天地萬物，畫在平面上的畫布或畫紙。爲了使它具有寬闊高深的表現，於是就產生了透視畫法，如常見的近大遠小的物體現象。「透視」是畫家必須具備的一種技法。西畫的透視觀念是最嚴格且明顯，可從畫面上明顯地看出它的一點透視、二點透視、或伏或仰的三點透視的脈絡，但在中國繪畫上就看不到這些了。若單純只就人的眼目觀看能力而言，有許多畫處根本無法看見，因它早被前物所遮住了。有許多地方也是無法用目力看到的，如長江萬里圖，又有誰的目力能達到萬里呢？萬里中的拐彎抹角處又如何能以眼目看得到？所以許多人都會評議：中國畫沒透視、不懂透視或不合透視。這祇是站在西畫透視法的角度來看，須知西方透視固然用於繪畫，但更適合用在建築圖和各種設計圖上，其特性爲機械的、科學的、有法度的。而繪畫藝術則例外，無法一概所論的，因繪畫是藝術的、是感性的、是虛構的、是心靈的，有如文章詩篇一樣的思路、脈動、情懷、幻想、自由和超越，那敢滲進科學法度的限制於其中呢？所以中國繪畫並不用這科學且死板的透視方法，而是用散點移動式、文章式的透視法，例如有高遠、深遠、平遠的透視觀念。更大的特點是文章性的寫法，用心眼來畫這裡到那裡的景物；何處該高大、該誇張加強、該柔弱輕淡，這是感情傾訴的變動、是樂章的高低輕柔，是文章性的屈折與轉換；這是由心編，而不是實景的照相。但整體上還是具有「近大遠小」的透視觀念。自由得合法，奔放得順眼，這更是中國繪畫上的高明、寬廣與特質。再如陶淵明的《桃花源》，可以用中國畫從頭至尾繪成一幅好的水墨山水畫。其景如「忽逢桃花林，落英繽紛，林盡水源，便得一山，山有小口，……有良田美池，桑竹之屬，阡陌交通，雞犬相聞，男女衣著，悉如外人，黃髮垂髫，並怡然自得。……設酒殺雞作食。……。」若以西畫的透視法來畫此境界，則必須用數幅畫來接連才可以。如景中的「山有小口」就擋住了視線，而無法畫出「良田美池，雞犬相聞」的純樸樂園了。行筆至此，眞要感謝中國古代畫家先人在透視方面所遺留下來的智慧。

中國繪畫的透視法，宋朝宗炳《畫山水序》曰：「且夫崑崙之大，瞳子之小，迫目以寸，則其形莫睹；迴以數里，則可圍於寸眸。誠由去之稍闊，則其見彌小。今張綃素以遠暎，則崑閬之形，可圍於方寸之內。豎劃三寸，當千仞之高，橫墨數尺，體百里之迴。」（註五八）這正是中國繪畫最古老的透視方法，就是以尺寸之畫幅，去納千仞高山或百里之闊的比例方法。北宋郭熙《林泉高致》畫論說：「山有三遠：自山下而仰山顚謂之『高遠』，自山前而窺山後謂之『深遠』，自近山而望遠謂之『平遠』」（註五九），這「三遠」即是畫山水透視的依據，但先讓我們了解一下三遠的精神。

㈠「高遠」：郭熙說：「自山下而仰山顚。」這是由山腳而仰望山頂的「仰視」式構圖形式，使山顯得崇高雄偉。他又說：「高遠之勢突兀」、「無高則下」。爲了使山高，在畫法上他也提供好的方法，其曰：「山欲高，盡出之則不高。烟霞鎖其腰，則高矣。」（註六〇）北宋范寬的《谿山行旅圖》（圖六）正是這種高遠形式的代表者。大山聳立，仰望之，不由得有肅然起敬而仰之的心情，同時也激起觀賞者提昇偉大的心志，這種美確是具有磅礴的氣勢。

㈡「深遠」：郭熙說：自山前而窺山後。清代費漢源說：「於山後凹處染出峰巒重疊數層者是也。三遠惟『深遠』爲難，要使人望之，莫窮其際，不知其凡幾千萬重，非有奇思者不能作。」（註六一）其意思是說：深遠透視法所表現的景物，是既有有深度又要有遠的感覺。唐詩中所說：「欲窮千里目，更上一層樓」頗得其意。登高俯視，景物可盡收於眼簾。登高又可望遠，眞是既深且遠了。然而，如果只是登高，還不能窮盡其理。要是前有大山，豈不是只能望近山，而窺視不到山後了嗎？所以在中國畫的觀察上，須用文章性的心眼去作移動視點，就是將視點逐步移動，畫家可從這山到那山，一路看去並一路畫去，卻永不會被前山所擋住。由於移動視點之故，使所謂的前山，早已當作是後山了。這正是所謂的「步步看」、「面面觀」、「前顧後盼」、「左看右看」，將那所看到的景物，都集中經營於一個畫面之上，使得畫面上得以包羅萬象。如此不受限於小小的範圍，又能把所見到的美麗景物盡收於畫面上。

㈢「平遠」：郭熙說：自近山而望遠山。此謂平視中所得到的遠近關係。「平遠」使一般所得的景並不十分高，正是因爲視線的「平」而使得近大遠小的差距比較明顯。平遠的畫法，梁元帝《水松石》中曾提出了「天遙鳥征」一語，因爲天遙不易表現，衹好用鳥來表現它。國畫表現的方法，和西畫所用的透視法正好相反，依照透視的定律，在地平線以上，同高點是愈近愈高，愈遠愈低的，而國畫中所表現的飛鳥是愈近畫得愈低，愈遠則愈高。元代倪雲林所作的山水，幾乎都是清一色的「平遠」透視法。

「三遠」的構圖形式，並不能代表中國畫家對透視法的所有觀點，而「三遠」也並非各自獨立，有畫家在畫法上包羅了高遠及深遠。總之，須是歸向於文章性的移動點透視法及心理透視法的使用最爲貼切。

另外，談及郭熙的「三遠」透視法後，就不能忘記宋代韓拙在《山水純全集》中所提出的另一個「三遠」形式。韓拙說：「郭氏謂山有三遠，愚又論三遠者：有近岸廣水、曠闊遙山者，謂之『闊遠』；有煙霧溟漠，野水隔而彷彿不見者，謂之『迷遠』；景物至絕，而微茫縹緲者，謂之『幽遠』。」（註六二）這些名詞雖不同，但其意義是無所差異的。黃公望也說：「闊遠」是「從近隔開相對」。這與韓拙所說的「闊遠」之意是相同的，都是說近岸與彼岸遙遙相對，表現出彼此之間的寬闊感。在透視法上，郭熙提出另一種看法，其曰：「遠山無皴、遠水無波、遠人無目，非無也，如無耳」。這裡所謂無者，如遠人，並不是眞的沒有眼睛，而是因遠的關係，有空氣層的相隔和距離感的緣故，使他不見、使他模糊，因此在畫面上能產生遠近的效果。

第四節　對歐美現代畫之影響

中國水墨山水畫對歐美現代畫之影響力最為顯著是野獸派的馬蒂斯和德國發起的表現畫派，本節就以此兩畫派的例證探研於後：

一、西洋表現畫派與中國畫家重人品的關係

「表現畫派（註六三）他們的理論是：「作者應描寫，映於著作心底深處曾被感受的事物，不像寫實主義、自然主義、印象主義以及野獸派的祇描寫眼前所獨見的外物形狀。它否認『物體是眼睛所能見到的姿態』，它主張畫家應該爽直的表現自己內心中所顯現出來的姿態才是眞實的。我們心中所出現的事，便要照自己內心所要顯現的東西，要求強烈個性的發揮。每個人內在的精神，不應只是存在著而應當要創造出來，再者他們認為藝術最高目的，是作者內心生活的表現，對題材，不但可以自由取捨，而且不妨改變與改造。在藝術品上所表現的事物如何不自然或不合理，都無關重要，只要作者的情感與精神能夠表現出來就行了。」（註六四）以上所述是德國表現派畫家的實事情況，不正與元朝在受盡異派屈辱下，而心懷不平，藉繪畫以抒胸中逸氣的行為相同嗎？因為畫家也是人，尤其是最敏感且感情最豐富的人，一旦遇到屈辱也就變成最敢罵人的人。在此，除此比較兩者時代背景的相似外，更進一步探討兩者畫家內心的深淺度，及對於繪畫價值影響的關係來探討，畫史學家鄭昶說：

「元崛起漠北，入主中原，毳幕之民，不知文藝，雖有御局使而無畫院，待遇畫人，殊不如前朝之隆，在上既不積極提倡，在下臣民，又皆自恨生不逢辰，淪爲異族的奴隸。凡文人學士，無論仕與非仕，無不欲藉筆墨來自鳴清高。故從事於圖畫者，非以遣興，即以寫愁或寄恨。其寫愁者，多蒼鬱；寄恨者，多狂怪；以自鳴高者多野逸，皆各表其個性而不兢兢以工整濃麗爲事，於是相習爲風。當時諸家所作，無論山水、人物、草蟲、鳥獸，不必有其對象，憑意虛構，用筆傳神，非但不重形似，不尙眞實，乃至不講物理，純於筆墨上求神趣。」（註六五）表現派的「要求強烈個性的發揮。」與元代的「要皆各表現其個性而不兢，與工整濃麗爲是。」其意義相同。表現派的「藝術最高目的，是作者內心生命的表現，對題材，不但可以自由取捨，而且不妨改變與改造，……事物合不合理，都無關重要，祇要是作者的情感與精神。」元代的「……不必有其對象，憑意虛構，憑意的『意』即是『作者內心的生命』，『虛構』即是不祇『描寫眼所獨見的外物形狀』，則是『爽直的表現自己內心所顯現出的姿態』。元代的不重形似，不尙眞實，也不講物理，祇求神趣，正是表現派事物合不合理，中國水墨山水畫不至時空上的超越，畫家人品之要求，正是表現派創作上之理念。

總之，繪畫本是人格的再現，情感的流露，畫如其人的一種工夫。但西方表現派的青年畫家，其內心所藏的什麼？西方對時代環境看到多少？有多深？所感受的正確性又有多少？能增添多少繪畫生命和價值？這些深入到畫家內在的問題，答案必在於「中國畫家敦人品、勵情操的工夫裡」，而涉及到畫的深淺問題，其答案又必得在「中國畫的意境上」了。這是中國水墨山水畫影響於表現派最好的例證。

二、馬諦斯野獸派與水墨山水畫的關係

馬諦斯（Henri Matisse，一八六九—一九五四），是野獸畫派的領導者。（註六六）西洋繪畫放棄客體，專以畫家主觀的心理活動為風格，是始自於塞尚，宏揚於野獸派的馬諦斯，而此時也正是中國畫流匯於西洋繪畫的開始。

《現代繪畫叢談》：「馬諦斯藝術的淵源，除了黑人雕刻之外，所謂東方藝術也曾給予他作品上的靈感。他在悠長的藝術生涯裡，曾瀏覽過許多中國陶瓷、織錦、刺繡、漆器上等純粹東方式的圖案畫。他因為深受東方藝術的沉浸，無形中在作品色彩的運用上，平添了巨大的魅惑力量，使人看來不禁為那種明快而清新的色彩所陶醉」（註六七），這裡是說馬諦斯從中國文物上學會了東方式的圖案畫，中國古代明快清新而有魅力的色彩，從中得到繪畫上的靈感。他們從中國藝術文化中所學的正是野獸派的全貌與主旨。換言之，野獸派馬諦斯繪畫風格表現，正是中國藝術文化之摘要。虞君質在《藝術概論》中說：「在馬諦斯的作品內，批評家公認為具備了三個特點，那便是：自然的線、舒適的形、新穎的色。」（註六八）

綜觀，馬諦斯的畫受東方藝術和黑人雕刻及文物之影響至深。其風格：主觀、誇張、粗獷的線條、鮮明的色彩、圖案裝飾性。

先從圖案裝飾性探討起，畫風的圖案裝飾性，當是中國古代器物、陶瓷、雕刻、漆器、銅器，乃至織錦、刺繡等上面的花紋、圖畫，大多是依著器物之形狀而繪上的裝飾圖案，因直接或間接的看到過，所以受其影響而產生了圖案裝飾性的繪畫。

鮮明的色彩，是馬諦斯繪畫最主要的特色，尤其喜歡使用三原色，是對先前印象派只注重光的一種反抗，於是他就用顏色代替光。塞尙（Paul C'ezanne，一八三九－一九〇六）曾說：「繪畫就是紀錄作者色彩的感情的」，而馬諦斯的畫是出於塞尙，所以他的突顯顏色，甚至誇張。其次它是導源於中國器物上的單純三原色，尤其受景泰藍、琺瑯、唐三彩及廟宇建築色彩的影響所致。虞君質在《藝術概論》中又說：「在他寫給朋友的一封信中說：對於中國江西的瓷器，北平的地毯以及景泰藍的器皿上，表示了由衷的愛好。」（註六九）

粗狂的線條，爲野獸派的特點之一，而繪畫中用線最多的，則要算是中國繪畫了。所謂中國繪畫是線的雄辯，就是水墨山水方面的皴法：披麻皴、大小斧砍皴、雲頭皴、亂柴皴、屋漏痕、牛毛皴等不下幾十種用線的方法，再也無人可比了。但馬諦斯的用線和水墨山水的用線，雖有相異之處，但相同點卻更多，因爲線比面的表達能力更迅速。線能捉住畫家腦際間一逝即過的思潮，如野獸派特點是捉住物體最觸目的部分，而刪去其他不觸目的部分，再用速寫方式，以單而有力的筆致畫出物象生動的姿態，本來在繪畫風格上，簡筆畫困難於細膩畫。但水墨文人山水畫及中國文學一向以簡捷著稱，如元四大家的水墨山水，皆以簡逸爲上品，倪雲林說：「僕之所謂畫者，不過逸筆草草，不求形似，聊寫胸中逸氣耳。」又看八大山人等作品，大都只有寥寥數筆，然而卻非常名貴，因爲筆減卻意味深長，尤其水墨山水畫中的房屋、亭橋及人物，筆法都很簡單，皆是描寫物體的印象。如以此去鑑賞野獸派簡單的筆致，當然不以爲奇了。兩者相比，中國山水畫又是有勝而無不及。

野獸派馬諦斯畫得誇張，這又與中國文學和畫扣相類似，和「黃河之水天上來」，「白髮三千丈」的詩句類似，這完全是不實際的形容詞，簡直是瘋狂性的誇張，就是非得如此的形象和誇張，才能將其內容說到極致、生動並淋漓盡致，又如在文學中形容美女爲秋眼、櫻唇、柳腰、春筍、玉葱，又形容俊男美女爲金童、玉女。以金比爲男孩的貴與俊，以玉形容女孩的溫順及美麗，再也沒有比這更恰當的比喻了。但倘若童子眞的用金作的，女子眞的用玉作的，那反而得無情且可怕了。所以中國詩文和畫上看起來有許許多多不合理的誇張，但實際上卻是恰到好處也是最合理的形容詞。比如，比喻手指之美如玉葱，如此形容多應最恰當，應是最美好，但如果一個女孩子的手指眞的變成五個或十根大葱，又該是如何的嚇人與不安呢？所以說中國畫裡的或詩裡的誇張法，並不是狂怪，倒是主張渾厚含蓄，而忌鋒芒太露，忌劍技弩張等種種不雅現象。中國詩畫誇張法是作者智慧上的亮光焦點，實爲可貴矣！

馬諦斯畫的重點是主觀、率性、不合理、不按法。也就是說，不論透視法則，更不講解骨架，他憑著主觀，抓住首先浮現在眼前印象的特點，並將其特點誇張、變化、想像，便成天眞、純雅，無法理解的一種稀裡古怪的形狀。

總之就從中國水墨山水來看，如北宋范寬《谿山行旅圖》，記載：「此幅繪峻峰大嶺。飛瀑雲騰，山凹有蘭若。路側車馬紆行，筆勢雄厚撲人眉宇。」（註七〇）試看，中堂鼎立，巨峰透天，氣勢雄偉。中國大江南北，那能尋得此山作範本，若不憑著主觀的想像、誇張、變化、虛構之後，變成了無法尋找，無法理解的形狀，試看，這不正與馬諦斯不約而同了嗎？馬諦斯不求畫理，不論透視法則，且再看范寬此圖又有什麼透視與畫理？畫的地平線和消失點皆在何處？畫家的停立點又在何處？換言之，站在什麼地方，才能全部看見這龐大的崇山峻嶺的全貌呢？所以，這也是全不論透視法的，完全與馬諦斯雷同。水墨山水畫不止是范寬，幾乎全部是不合透視法的山水水墨畫。又水墨山水畫裡的房屋橋亭，前後佈局都未曾合於遠近的原則，樹木、山石的形狀，在從實景中絕找不著，它是實物的象徵，是畫中的一個符號，認爲它是樹木、山石固然好，未曾看得出它是代表樹木也是很好，因爲畫的是什麼並不重要，它的目的不是教人知識的，而是使人感受的。因此以同樣的眼光去看馬諦斯的女人物畫像，也應該覺得合理而自然。中西畫這種相同類似之處，正是人同此心，心同此理，也是眞理、正道必然顯露的一個驗證。

【註釋】

註一：唐朝張璪撰「文通論畫」，曰：「初畢庶子宏擅名於代，一見驚嘆之，異其唯用禿毫，或以手摸絹素。因問璪所受，璪曰：『外師造化，中得心源。』畢宏於是擱筆。」轉錄於中國畫論類編（台北市：河洛圖書，一九七五年五月台景印初版），頁一九。

註　二：唐自高祖李淵統一建國至昭宗末年，共傳二八七年而亡（公曆六一八—九〇五年）。而張璪是中唐王維之後的畫家，所以七五〇年前後撰「文通論畫」，其時正屬中唐當屬無誤。轉錄於俞崑，「中國繪畫史」（台北市：華正書局，一九七五年九月台一版），頁八九。

註　三：同註二，頁一一一。

註　四：盧梭（Jean Jaques Rousseau，一七一二—一七七八年）自然主義的興起人，他是日內瓦鐘錶匠的兒子，充滿著狂熱幻想和搖擺性。作爲一個經過窮苦生活的流浪人，他厭惡當時的腐朽社會，極幻想自然生活的美滿，（朱光潛，西方美學史上卷，頁二四一）。下文引於「談美」（台北市：開明書局，一九五八年八月台一版，一九七一年十月重四版），頁七二。

註　五：羅斯金（John Ruskin, 一八一九—一九〇〇）英國藝術批評家、唯美派的啓發及支持者、文學家兼社會改良論者。他是蘇格蘭酒商之子，生於倫敦。在英國的十九世紀晚期，羅斯金是當時英國藝術方面的最高權威，他對藝術的第一個觀念是：「這世界是美麗的，藝術家不必再有所發明，祇要摹仿已成的世界就行了。在美的觀賞裡面，不妨度過一生。」他的第二個觀念，卻是清教徒的觀念，他以爲「按照清教徒的說法，耽樂於美的鑑賞，是不是一種罪行，我有沒有權利這樣做呢？」於是羅斯金自己應該有權利這樣做，因爲「美」和「善」就是一樣東西的。摹仿自然，其實就是讚美上帝的造物；美也是上帝意志和諧的表現。他的第三個觀念是「這種對於美的觀賞，不一定是自私的，它可能成爲大衆的或人民的幸福的源泉。」虞君質，「藝術概論」（台北市，大中國圖書公司，一九六八年五月初版），頁九四—

九五。

註　六：朱光潛，「文藝心理學」（台北市：台灣開明書局，一九六九年十二月重一版發行，一九九三年二月新排三版發行），頁一三四。

註　七：同註六，頁一三五。

註　八：註四前書，上卷，頁二五四。

註　九：歌德給「希臘神廟的門樓」的發刊詞，同上註四前書（下卷），頁七六—七七。

註一〇：歌德在「論狄德羅對繪畫的探討」一文中所說的話，同註四前書（下卷），頁七八。

註一一：「十八世紀外國文學史」，頁二四六；同註四前書，上卷，頁二五七。

註一二：同註四前書，上卷，頁二六三。

註一三：同註四前書，下卷，頁三八。

註一四：同註四前書，下卷，頁四二。

註一五：黑格爾，「美學」，頁二：同註四前書，下卷，頁一三七。

註一六：同註四前書，下卷，頁一六一。

註一七：惠斯勒（James Abbott Mc—Neill Whistler，一八三四—一九〇三）美國大畫家。惠斯勒的藝術思想，是反對摹仿而重視創作的，他認爲「摹仿是屬於最劣等的藝術」，這種意見與當時人們的觀點不一致，而給他帶來了很多意外的非難。這情形，當他第一幅抽象畫《黑與金的夜曲》（Nocturne in Black and Gold）又稱爲《下落的火箭》（The Falling Rocket）問世時，便標出二百基尼的高價出售，不料很快被人購去。因而引起藝術批評家羅斯金的抨擊，兩人交惡，不惜法庭相見，打了一場無結果的可笑官司。從此揶揄之聲載道，致使惠斯勒聲譽一落千丈！爲此，他乃益加奮勉，埋頭作畫，至一九八〇年間，他的聲譽業已洋溢到歐美各地，而羅斯金卻在晚年的窮愁中死去。惠斯勒於一八九八年被推薦爲國際美術會的第一任會長，業已躍登榮譽的高峰。同註五，頁七九—八〇。

註一八：同註五，頁七九。

註一九：「談美」（台北市：台灣開明書局，一九五八年八月台一版，一九七一年十月重四版），頁七八。

註二〇：虞君質，「藝術論叢」（香港：亞洲出版社，一九五八年七月初版），頁一〇。

註二一：同註二〇，頁六。

註二二：同註二〇，頁一二。

註二三：同註二〇，頁一二。

註二四：鄭昶，「中國畫學全史」（台北市：台灣中華書局，一九五九年十二月台一版），頁一一三。

註二五：同註二四，頁四七—四八。

註二六：容天圻，「庸齋談藝錄」（台北市：台灣商務印書館，一九六七年十月初版，一九七〇年二版），頁一—二。

註二七：丰子愷，「丰子愷論藝術」（台北市：丹青圖書公司，一九八七年一月台一版），頁二五—二六。

註二八：同註二〇，頁一三。

註二九：同註二六，頁四。

註三〇：同註二六，頁五。

註三一：五代荊浩，「山水要節」，同註一，頁六一四。

註三二：五代荊浩，「山水要節」，同註一，頁六一四。

註三三：明朝李開先，「中麓畫品」，頁四二三—四二四。

註三四：清朝王原祁，「雨窗漫筆」，同註一，頁一七一。

註三五：清朝唐岱「繪事發微」，同註一，頁八四六。

註三六：清朝沈宗騫，「芥舟學畫論」（傅抱石，中國繪畫理論，一九三四年九月，東京），頁一二九。

註三七：唐朝張彥遠，「歷代名畫記」（台北市：廣文書局，一九七七年六月初版），頁六六。

註三八：清朝方薰，「山靜居畫論」，同註三六，頁一四三。

註三九：同註三六，頁二。

註四〇：日本，紀野義一著，葛達時、姚兆如合譯，「談禪」。

註四一：俞劍方，「中國繪畫史」上冊（台北市：台灣商務印書館，一九三七年一月初版。一九六五年六月台二版），頁一九九。

註四二：姚夢谷，「中國水墨畫探源」（台北市：台灣美術學報，創刊號）。

註四三：白居易，「琵琶行」，「唐詩三百首」（台南市：綜合出版社，一九七四年八月再版，頁八七。
註四四：「談文學」（台北市：開明書店，一九五八年六月台版，一九七二年三月台版），頁一七八。
註四五：錢超，「湘靈鼓瑟」，同註四三。
註四六：邢光祖，「邢光祖文藝論集」（台北市：大漢出版社，一九七七年八月），頁一六。
註四七：清朝笪重光，「畫筌」，同註一，頁八〇九。
註四八：「藝術趣味」，（台北市：台灣開明書店，一九六〇年四月台一版，一九八二年九月台九版），頁四九。
註四九：同註四八，頁四九。
註五〇：朱光潛，「詩與畫的界限」（台北縣：板橋市，駱駝出版社，出版年月未載），頁一。
註五一：同註五〇，頁一。
註五二：清朝王原祁，「雨窗漫筆」，同註三六，頁四三、四四。
註五三：清朝王原祁，「雨窗漫筆」，同註一，頁一六九—一七〇。
註五四：宋朝郭若虛，「圖畫見聞志敘論」，同註一，頁五九。
註五五：宋朝鄧椿，「畫繼雜說，論遠三則」，同註一，頁七五。
註五六：明朝道濟，「苦瓜和尚語錄」，同註一，頁一五二—一五三。
註五七：清朝笪重光，「畫筌」，同註一，頁八〇九。
註五八：南北朝宋宗炳，「畫山水序」，同註一，頁五八三。

註五九：宋朝郭熙，「林泉高致」，同註一，頁六三九。

註六〇：同註一，頁六三九。

註六一：清朝費漢源，「山水畫式」，同註一，頁八三八。

註六二：宋朝韓拙，「山水純全集」，同註一，頁六六二。

註六三：西洋表現畫派首先出現於首先出現於德國，由於第一次世界大戰），人們經過炮火的洗劫，內心格外苦悶，許多畫家藉繪畫發洩了他們對戰爭的不滿，這個興趣在現在藝壇上佔了絕對勢力。於一九〇九年際，德國一些有活力的青年畫家們，在德勒斯登組了一個小團體，叫做 Die Brucke「橋」，首次標榜表現派。一九一一年，康定斯基和馬爾克（F. Mare）等人，在Munchen的地方組織了美術團體「青騎士」，徹底地信奉表現主義的理論，從事純粹繪畫的藝術創作。表現主義給第一次大戰後的歐洲藝壇帶來了一種新的氣氛，成爲一支主流，畫家尤其對戰後的社會情況作了詳盡表現。何恭上，「現在繪畫叢談」（台北市：藝術圖書公司，一九七二年一月），頁五七。

註六四：同註六三，頁五四—五五。

註六五：同註二四，頁三二九—三三〇。

註六六：馬諦斯（Henri Matisse，一八六九—一九五四）爲現代世界聞名的藝術大師。他是野獸派的領導者。馬諦斯的藝術淵源，除了黑人雕刻的暗示外，東方藝術也曾給他以很大的感召，加之他從事西畫素描五十年的艱苦鍛鍊，使他的作品造就了高度風格化（Stylisation）的成就。批評家公認他的作品具備了三個特點，那便是：自然的線、舒適的形和新穎的色。他不但是一個色彩的畫家，而且是一個裝飾的畫家。一九五四年十一月四日逝世於尼斯城公寓，享年八十五歲。同註一七，頁六八—六九。

註六七：同註六三，頁三六。

註六八：同註一七，頁二一五。

註六九：同註一七，頁二一七。

註七〇：「故宮書畫錄」，增訂本三（台北市：國立故宮博物院印行，時約一九六五年七月，見「增訂本序」，「中華民國五十四年七月　王世杰謹識」，頁四一。

第四章　水墨山水畫創作之停滯原由

經由前面的研析，業已明顯的闡釋了水墨山水畫的藝術價值，在中國以及國際藝壇上，具有獨特而精湛的特質，同時也是藝術領域中的寶貝資源和主要動力。因此，水墨山水畫是有創作進展的價值，且尚有許多創作的空間。但是爲什麼近百年來不曾見其創作進展，反而有停頓凝滯的現象呢？這就是探討此章的動機。

第一節　畫院之弊

畫史上所記載，最具代表的畫院要算是宋代的翰林圖畫院了。其「集天下之畫人，因才藝之高低而授以待詔、祗候、藝學、畫學正、學生、供奉等官秩。」（註一）從中可看出其內部的規模。

日人大村西崖云：「翰林圖畫院，雖始於宋初，特見重於徽宗之朝。從來以藝進者，雖服緋紫，不能佩魚帶，政和、宣和時，獨許於書畫院，諸待詔之班次，以畫院爲首……。書畫兩局，則稱之爲

「俸值」，待遇異於衆工也。睿思殿每日必命能畫之待詔一人宿值，備不測之召喚，他局則無。」（註二）由上可知書畫院中有服裝、佩帶及待遇上的不同，並且有輪班、住宿、值班的制度。畫院興盛於宋，但從諸美術史中可得知，早在五代、後梁、南唐、後蜀後代，即設有待詔，至明代又恢復了畫院。如俞崑《中國繪畫史》上所載：「元時未曾畫院置官，至明復繼續趙宋之遺緒，朝廷復設畫院。」（註三）清代雖未設畫院，卻仍設內廷供奉、內廷祇候等職，以待畫士。但「以在上者好之甚深、倡之甚力，故一般畫家，雖不必有意趨榮附勢。然利碌所在，苟邀睿賞，即可以煊赫一時，故畫家多趨之若鶩。」（註四）所謂畫院者，在《論山水畫》一書中云：「就其遺事來觀察，似含有以畫取士和教育畫人之二方連貫的意義。以畫取士，即徽宗政和中，建設畫學，用太學法補試四方畫工，用古人詩句當做畫題。」（註五）

畫院也是歷代皇帝對繪畫有特別的愛好，用高官厚祿招攬許多畫家於宮廷作畫或教畫，此畫院制度對畫家生活來說雖不愁吃穿，但對於畫家創作生命卻有極大的傷害，因此產生了以下的弊端：

一、外環境之約束

以古詩爲畫題，限制了畫家多方面的創作思路。畫家爲了考上，不得不捨棄其他繪畫體裁與範圍，專獨去模擬古詩句，同時也混淆了詩中的字意或句意，尤其大多數畫家都使用了唐詩內容。如明朝唐志契記云：「政和中徽宗立畫院，召諸名工，爲摘唐人詩句試之。……」、「唐人詩有『嫩綠枝頭紅一點，惱人春色不須多』之句，嘗以試畫士。」（註六）但畫的範圍怎能只限於詩的內容呢？如此一來繪畫豈不變成詩的解釋了，或爲詩的插圖了呢？其實，詩與畫均是單獨存在的個體，各有其格調。詩心和畫相通，但絕不是畫的全部，因爲畫的路還很寬廣的，若一直只向詩意的方向去探討，會導致畫走上沒有發展的絕途了，更何況所走的還只是唐詩的方向呢？這實在是一樁很大的錯誤。再者，據朱壽鏞所說：「宋畫院衆工，必先呈稿，然後上眞」、「某在院時，每旬日蒙恩出御府圖軸二匣，命中貴押送院，以示學人。……上時時臨幸，少不如意，即加漫堊，別令命思。雖訓督如此，而衆史以人品之限，所作多泥繩繪，未脫卑凡。」（註七）這種呈稿、核稿的風氣，在繪畫創作上怎能使得。因繪畫藝術本是心靈事業，且創作也原無定規，皇帝又如何能核稿？若專以皇帝的心思與所好而作畫，又怎能創新作品？原因是繪畫家只能畫自己的心事和心思，而無法代皇帝畫心事。如石濤所說：「古之鬚眉不能生在我之面目，古之肺腑不能安入我之腹腸。我自發我之肺腑，揭我之鬚眉。」（註八）

就因制度對眞正畫家而言，如同是截斷了創作思源，對一般普通畫人，正是：「趨於相率探尋在上者意旨，勾心鬥角，以冀一日之僥倖。」（註九）這種日日夜夜希望在上者的臨幸，而在下者的爭寵，久之就形成了畫家彼此厚顏拍馬，勾心鬥角，如同妾妓一般的爭寵，完全不知人格爲何物者愈來愈多，以致影響了藝壇消沉至今日的地步。此制度使中國繪畫停滯創作進展已數百年矣！

二、內環境之桎梏

畫院中的畫家是經考試通過的士大夫及文人，有學識、有人品、有地位，同時更有尊嚴和骨氣。正如蔡秋來在《宋代繪畫成就之探研》一書中所說：「畫院……共同亦有學養精深，才藝出衆之山水畫名手厠身於畫院。」（註一〇）而畫家在其學養尊嚴與骨氣中，常謂，解衣般礴，不修邊幅，率性天眞，甚至狂怪瘋癲，似於不近人情，不似平常人。但這僅於作畫創作時的心理形態，純是因自由無羈，而目中無人、唯我獨尊。這種「放肆」的形態與平時的尊嚴、骨氣、學養、人格是無關的，但這種創作時「放肆」、「自大」的畫家，其膽識作爲，與隨時隨地都厚著臉皮，不知進退且狂傲無知之徒的大膽作爲是截然不同的。前者往往將創作時的形象隱藏而不願暴露於人前，祇願閉門自處，於獨思之後才願將成果呈現於畫布之上。何況創作除須膽識之外，還需要思考、及長時醞釀靈感，因大畫家不願有泛泛之作！所以如畫院裡的諸畫家，還得輪流值班，同時得侍候皇帝隨時被召喚作畫，或因皇帝的臨幸而作畫，或皇帝遊春於郊外，因他一時的感興召畫家作畫，使畫家不僅得在皇帝面前作畫，還得在衆臣僕雜衆人面前作畫。如此一來，還得擔心畫不好時，會受到皇帝的責罵和羞辱。這種心靈的不自由，正是畫家創作時的大忌，這種職務，祇有工技者才可爲之，若是有骨氣的君子畫家當該不爲。

這種實例在畫院中很早就有如張彥遠記唐初閻立本所說：「太宗與侍臣泛遊春苑，池中有奇鳥，隨波容與，上愛玩不已，召侍從之臣歌詠之；急召立本寫貌。閤內傳呼畫師閻立本，立本時已爲主爵郎中，奔走流汗，俯伏池側，手揮丹素，目瞻坐賓，不勝愧赧。」（註一一）退戒其子曰：『我少好讀書屬詞，今獨以丹青見知，躬廝役之務，辱莫大焉。爾宜深戒，勿習此藝』。」（註一二）宋朝李成亦有段故事：「開寶中，孫四皓者延四方之士，知成妙手，不可遽得，以書招之。成曰：『我業儒者，粗識去就，性愛山水，弄筆自適耳，豈能奔走豪士之門，與工技同處哉！』遂不應。（註一三）這也說出畫院中的制度與作畫方式，對有學養尊嚴、有人格之畫家很多的拘限，甚至產生心理上的羞辱。

不過畫院並非全然弊端，而在畫業的鼓勵，如宋徽宗皇帝畫家上行下效，蔚成愛畫習畫之風尚，更可貴的是畫院有組織、有系統與學習的進度與督促，如同現在國內外的藝術大學中之美術系科，雖有約束，都有學習的制度與規律，對畫藝的訓練，不能不為上策。畫院之功正如蔡秋來說：「……畫院有組織有系統之訓練畫藝。……畫院所培植出來的畫家多屬精能之輩，而尤足稱道者，各朝輒有大家巨匠出世，遂把我國傳統之畫藝引領至更丰美、更高雅之境界。」（註一四）所以畫院對創作的自由上雖有弊，但在畫藝的學習培植上卻有鉅大的貢獻。而本文所論祇限於畫家在創作時心靈約束之弊為範圍。

三、過求形似

皇帝雖然擁有衆多畫家，但卻不全是專職畫家，因此更不用說有創作及遠見的畫家了。所以他們祇能視畫為悅目、形似，或者有點詩情和涵意就稱為上上品了。如說俞崑在《中國繪畫史》上說：「徽宗崇尚法度，取形似，故采入畫院者，往往以人物、花鳥之形似者為先，而筆墨氣韻次之。畫院同道因彼此競爭，不免有傾軋之惡習。」（註一五）皇帝既然只喜歡法度和形似，同時又擁有著生殺大權。如此又有誰仍不向著形似方向去追求呢？

畫院在創作弊端甚多，如伯精等著的《論山水畫》所載：「……畫院人作畫，先呈稿本。不稱上意，便被塗去，或別另命思。這樣教育，與其說是教育，毋寧說是奴使。」（註一六）被羞辱及責罵下的奴使，如何能有創作的靈感呢？故伯精等云：「所謂制度，換言之是一種約束。統治的上層，即靠這種約束去駕馭那種風尚，去取得那種必要。自盛唐之際，佛畫轉入新風格，山水畫取得獨立地位，其他部門亦有並行的發展。於是繪畫脫離了宗教的附庸，日漸發達下去，轉而為一般士大夫社會層的所有了。於此時之際，站在士大夫社會的塔尖上之宮廷，想集其中一部分與宮廷趣味相切合的藝術以留為享受；於是翰林圖畫院的科學制度由是成立，院體畫的特殊風格由是產生。因為這種制度和畫風結合於宮廷，所以制度也不能隨便擴大，畫風也不能盡量自由。」（註一七）

總之，畫院雖養肥了畫家的肚腹，卻也斷送了畫家的創作靈命。畫家吃穿固然重要，但更重要的是自由，因自由是畫家的空氣，也是畫家的靈糧。沒飯吃倒可沿街求乞，但沒自由則不能稱為有創作、有作為的畫家。

四、創作恐懼

鄭昶云：「元朝是異族，其雖是崛起於漠北而入主中原。因為是氊幕之民，不知文藝之輕重，所幸未設立畫院。然到了明朝，卻又承宋制，復設畫院。於是洪武初年，即徵趙原爲畫史，然不久趙原以應對而失旨坐法；周位亦被讒就死；更有盛著者，時爲內府供奉，以畫水母乘龍背於天界影壁而不稱旨終至棄市。於是當時畫家，無論在野或在朝，咸肅然自警；其所作所學，無不深加揣摩，以迎合上意爲旨；於是元季放逸之畫風爲之聚斂。惟自太祖殺畫士後，畫士威震於專制之威勢，各懷有戒心，其思想上已受若干之束縛；又加之以科舉制之助紂爲虐，累世勿替，其無形之影響，尤爲重大。」又如：「宣德間，衆工於仁智殿呈畫，戴文進首幅爲《秋江獨釣圖》，圖中作一紅袍人，垂釣水次，同僚謝環曰：『此畫甚佳，但恨野鄙耳！』宣宗叩之，曰：『紅、品官服色也；用以釣魚，大失禮矣！』宣宗頷之，遂揮去。」（註一八）畫院是政府機構，聽命於皇帝，宮廷內外君臣中，畫之內行者少，但外行讒言者卻多。如明朝皇帝祇知興兵黷武，一心於政治，那知繪畫爲何物，致使畫士被殘殺、逐除，終日戰戰兢兢，祇求苟安於權勢之下，何敢有開懷率性的創作。正如俞崑所言：「惟在上者多嚴刑峻罰，畫者往往得奇禍。於是思想上因受專制之淫威，無自由馳騁之餘地。惟有墨守舊規，兢兢以求無過，偶有奇才異能之士，又常被同儕排擠以去。」（註一九）清代雖一意提倡文教，收拾民心，因此開科考入鴻博，然以虛名牢籠之手段，尤甚於明。

總之，當初宋朝設畫院，考試是爲了集飽學之士，用以發展中國書畫。給薪資，爲得使畫家能無慮無憂的專心於創作，將畫家集於畫院，使其有切磋進取之機會。皇帝可時時親臨指導以表重視，並且常以獎勵方式提昇創作上的突破。

原初種種的立意皆是美好的、善意的，殊不知繪畫是以創作爲上，而創作所用是畫家的心靈。又心靈之所要的只有一件：即是自由。畫院在實行上已漸漸變質而且侵佔了畫家的自由，如同使人缺少空氣而亡，同樣的，畫若沒有畫家的心靈也必死無疑。宋朝的畫院制度如同是揠苗助長，已犯了無心之錯。明清設畫院則全是虛心假意，祇求政治上的籌碼，作爲牢籠文人的手段而已。由此可知，歷代畫院弊多於利，以至影響了畫家的智力，致使膽識閉塞，造成一味的仿古，卻不敢有大作爲的創作，使中國繪畫停滯了數百年！畫院制度前後經歷有數百年之久，其弊多於利的後遺症更長達千年：

第二節　文人畫之弊

文人畫（註二〇），是中國繪畫的典型代表。它質樸、荒率、含蓄、簡渾、不嬌柔、不粗獷、不板滯亦不淺薄。這不正代表著泱泱大國的理想，不也是每個人一生所追求之目的嗎？文人畫確實有它偉大的價值。就連後期崛起的歐美繪畫也望塵莫及，這點在筆者拙作《宋元文人畫特質之研究》書中有所詳述，在此不贅。

而傅抱石對文人畫也說：「因爲它抓住了中國人的心，任何反動的努力，都不能有所搖動、有所改變。它具備某種程度的固定樣式，祇要你見著它，便會起一種『神遊於古畫』的共鳴。」（註二一）《繪畫》一書中說：「中國產生這種獨特而偉大的文人畫藝術。而文人畫高出官方院體畫的地方，就在其對於自然物象所表現的超越性上，也就在於內在心靈的表現上。」（註二二）這的確已抓住了文人畫美學思想的精髓。在這之後，清代石濤提出：「『畫者從於心者也』、『不似之似似之』的論斷，主張更自由地運用主觀意識和情感，去熔鑄自然物象，改造自然物象，並能更自由地創造出寄託畫家主觀情感的藝術形象。這個藝術形象非但不受自然物象的制約，甚至完全可以不與自然相胳合，使畫家的心性能得到充分的展現，能觸及到畫家心靈的最深層次，使畫的精神在與『道』的擁抱中可得到自然的飛翔，這就是『眞似』。朱耷則把文人畫提到了另一個高度，他以更強烈的象徵性、抽象性來展示更深遠的精神性。正如鄭板橋題畫時所說：『畫到神魂飄泊處，更無眞象有眞情』。越是不像越是情深，越是不像越是見我，越是不像越見魂魄——與『道』相合的自由精神。」（註二三）

文人畫家能熔鑄自然，不制約於自然，自由的展現畫家的心性，使畫的精神在與「道」的擁抱中得到自然的飛翔。像這樣適合於中華民族氣質與人性的文人畫，還會有什麼弊端呢？有，請看以下淺見。

一、畫路受到限制

文人畫家中凡是才高志堅者，皆具有文人畫家應備的條件，能使水墨畫登峰造極，卻不惜曲高和寡。本來只要是行在藝術的眞道上，雖然曲高和寡，卻仍是夢寐以求。如歷代在野的水墨山水畫家，一生並無赫赫之名，但卻帶動著畫史向前邁進。文人畫確實是中國繪畫發展史上的康莊大道。但它的弊端祇是畫路範圍太窄：因其祇包容部分文人和高士層次的畫家，而杜絕及失掉許多非文人卻富有創作靈性的畫家，如村民畫家或無任何象徵，含蓄理念的直覺畫家等等。換言之，中國水墨山水畫不能祇限於文人的層次，應當拓展到各個層次人士的面前。以至使得對畫有才華創作並有感有情的人，都是畫家。與齊備詩、書、文人、雅士後，才得以論及繪畫的文人畫家，此路可謂寬廣多了。又因文人畫家創作的天地和思路，只限於詩、文和士大夫生活的圈圈裡，實際上在此圈子外尚有無限多的生活，更多的眞情與純樸的事物，這些都是繪畫的好題材，同時也是培養畫家的好環境。這是歷代文人畫所無法顧及的，以至產生繪畫領域狹小的主要弊端。

無怪乎後人評曰：「文人畫變成『知識份子』階層所壟斷，並緩慢地形成自己的風格傳統」。「繪畫」一書作者說：「只有品德與才學極高的文人才能爲優秀畫家。所以隋唐以後，論畫、作畫則成了文人必不可少的修養。」（註二四）試想，在這文人畫的圈圈之外尚有多少有藝術才能的其他人士，卻因此而不能成爲優秀畫家。天下若祇設文人畫一路而再無其他門道，豈不有偏激和窄路之弊嗎？前書作者又說：「他們所從事的繪畫題材和風格，也不像唐朝那些官員和民間的職業畫工那樣二者可並行而不悖。他們的作品在題材和風格上迥然不同於民間畫工，是一種具有深沉哲學趣味，以及具有知識份子細膩的視覺感覺和情感體驗，其爲熔文學、書法、繪畫於一爐的水墨樣式的繪畫。這幾乎可稱是一種貴族化的上流藝術，它是文人士大夫顯示個人才華的舞台，同時它更是文人士大夫養心悅性、寄託個人情思以求得精神解脫的象牙塔。」（註二五）

這種被文人知識份子所壟斷，成爲貴族化的上流藝術，祇是文人士大夫養心悅性、寄託個人情思以求得精神解脫的象牙塔。理當速速打破而求拓展，不當再論風格、流派和題材，使中國水墨畫能普及寬廣，以發掘更多才藝之士帶動創作領域的拓展。

二、落入流派之弊

傅抱石說：「中國畫兩條不同的道路：南宗、北宗；作家畫、敵人畫，作不得已的進步。因爲如此，到了南宗的時候，使大家都感到疲倦、乏味、牽強，……而同時又想不出超越死範圍的辦法。於是南宗也好，北宗也好，自然形成了一種「流派」而流派化。自元代以後，固然稍稍換了面目，但不過是文人畫（假定南宗）更合乎傳統的思想，把院體（假定北宗）打倒了而已。明代的交沈唐仇，清代的四王惲吳，誰又不是文人畫流派化後的小流派化？簡短一點說：二百年來的中國畫，都被流派化的文人畫所支配。這一種勢力，說起來怪可怕，日本足利時代起，也被它征服得利害。」（註二六）

據傅抱石所論，國畫至少有二百年之久是受文人畫中的諸流派所支配。就因長時間的支配，在大小流派勢力範圍的籠罩下，已使得繪畫的筆墨、佈局、皴法、題款、色彩等，都有了習慣性的格式，變成大同小異的一個公式。若眞將山水畫的種種畫法，加上墨色、筆力，詳加分析後輸入電腦，一定會出現許多不同（大致又類似）的電腦式的水墨山水畫了。這樣一來，繪畫就變成了「八股」，成爲僵化的格式，數百年來都是以此僵化之格式，教導別人並評審著別人、支配著他人。因此水墨山水畫停滯不進。

傅抱石說：「就取材上說，文人畫是消極的、頹廢的、老的、無的、隱逸的、悲觀的，是士大夫狹義的人生觀。」（註二七）以上所說頗有道理。繪畫藝術是國家的文化，文化所帶給人們的是澎湃的朝氣與希望，並不是無病呻吟的消極聲。但這種消極的、頹廢的、隱逸的、悲觀的思想，卻是形成文人畫的一個主調。如古詞：「剪不斷，理還亂，是離愁」、「問君能有幾多愁？恰似一江春水向東流」、「舉杯澆愁，愁更愁」等句，正是這種思想抓住了中國人的心，使之不能動搖，而變成了固定的樣式與流派。只要你見到文人畫，便會起一種神遊於古畫的共鳴。這並不是文人畫的正統，而是發展中落於悲哀氣氛且變成流派的弊端啊！

三、變成士大夫渲洩情緒的工具

畫家有專業畫家和業餘畫家兩類。專業畫家者，是終生委身於繪畫、永不變節，日夜不休，凝神專注。其言論是繪畫，生活是繪畫，甚至夢裡也都是關於繪畫，對繪畫已到如痴如狂的心理形態了，這是專業畫家的最佳寫照。而業餘畫家就有極大的差異了。顧名思義，主要是在業務公事做完以後，再用剩餘的時間和精力作作圖畫，作爲消遣、餘興，或展示才華等，這與繪畫藝術的本質已全然違背了。而中國文人畫也就如此的變了質，走了樣。主要的原因是文人畫者大部份是業餘而非專以爲業的，因而形成了弊端。文人畫變成部分人士渲洩仇恨的工具，也成爲墨客騷人逸筆下的遺興之作，卻對繪畫意境不去作深層的研究或突破。正如同傅抱石所言：「它是中國士大夫狹義的人生觀。譬如在政治上玩膩了，看看（或去畫畫）這種東西刺激刺激，博一個風雅的名兒。」（註二八）

俞崑在其所編著的畫史中也說：「以筆情墨趣爲高逸，以簡易幽淡爲神妙。藉繪畫爲寫愁寄恨之工具，……然以畫法論，未免有偷懶取巧之嫌，繪畫之盛衰關於世運之隆替，不其然歟？」（註二九）元朝倪雲林曰：「僕之所謂畫者，不過逸筆草草，不求形似，聊以自誤耳？」吳鎮亦謂：「畫事爲士大夫詞翰之餘，適一時之興趣！」（註三〇）吳鎮和倪雲林眞正說出了畫風與畫理，但他們的畫並非每幅皆屬逸筆草草，或都只是一時興趣之作，而是有許多內涵，是於深思、意境後的逸筆和即興之作。不幸，在此之後有許多畫人也藉由吳仲圭和倪雲林之說，就如此幅幅草草二筆或狂膽勇壯的了了三下，全無動心，也無用情。這種無情、無感於環境、無視於自然，祇管閉起門來，順著老形式，玩弄些筆墨的遊戲。有更諷刺的說法是，如傅抱石所說：「二十六年來，國（中國）內仍然動亂著，國外的侵略壓迫，仍變本加厲的在進行著。但中國藝壇上的一切，則絕對與這些環境遠遠的隔離，好像生存在另外一個世界。縱有製作，也還是些『悠然見南山』之類。」（註三一）這仍美其名爲筆情墨趣的文人畫，實在只是在偷懶取巧，並不負繪畫藝術上任何責任的投機之輩，因此使文人的裝飾品，也成爲文人寄仇洩恨的囊袋了。

文人畫脫離了自然，全是筆墨的翻新。「外師造化，中得心源」一向爲水墨山水畫創作的總則，而文人畫長久以來，卻祇在詩意上動腦筋，甚至不管它是否陳腔濫調或祇是無病呻吟。人云亦云的，悲悽悽的無病呻吟一番，或祇是拉拉線條，玩玩墨趣，全不去寫生自然、細觀自然、感發於自然、合一於自然。所以文人畫長此以往就變成了形式、單調、依樣畫葫蘆般的停滯。而詩意祇是畫境中之一環，畫總不能是詩的代言者，或祇得依詩而存在的附屬物或插圖！當然不是。不過因爲文人畫流弊爲「祇在筆墨上玩耍」，祇求筆墨上一點點的改變翻新，或祇在詩中找點小趣味。如此已到本末倒置的地步，忽略了當以畫爲主題，而詩書僅是點綴。更忘卻了筆墨僅止於工具，畫的思想、意境才是主題。但文人畫若能臨寫自然就會無弊端嗎？不然，文人畫並非要臨摹自然或純寫生。重要的是，在這過程中要學習自然，得啓示於自然萬物，甚至以四周生活環境爲基礎，並非僅是跟著前人的筆調墨色，畫上幾筆，題詩蓋印就是文人畫了，當要有繪畫上應有的基本工夫、能力以及繪畫思想之後，才可以捨去自然，捨棄形似。若祇是寫寫自我之逸氣，玩弄一下筆墨，豈不知這祇是已達無法的至法境地之高手，而絕非爲無自然、無畫理，眞的草草了了之輩了。也因此文人畫產生了「了了草草」的筆墨遊戲弊端。

四、被不肖人士利用

文人畫作者就因不全是專業畫家，而爲畫事的目的，並不全是爲了畫的生命，而被不肖人士利用作爲了人事與官位之禮品，所以被人時時唾棄。如傅抱石在《文人畫篇》中所說：「中國的藝術家，他的評價，完全建築在『人事』上面的，藝術還在其次。你看誰開畫展，不是有許許多多的人署名介紹？這班名人，也許他不認識這請求的人，或者並未拜讀過他的作品，如何能知他的藝術？如此一來，社會剩有耳朵而卻瞎了眼睛。於是被介紹者一躍自居爲名家，而介紹者也儼然是自命畫壇盟主。這種情形，影響藝術的進步是極大的。」（註三二）王慶生說：「在文人畫家中間，彌漫著濃郁的人情世故和庸俗氣息。到了明代，畫壇的墮落和腐朽已相當嚴重，以致後人把明代作爲中國畫人由好變壞的分水嶺，就是像……拉幫結伙、互相攻訐、沽名釣譽、貪圖錢財等等爲人不齒的行爲，也是從明代畫人開始的。至清代嘉慶、道光之際，儒和士在社會上名譽狼藉，不少中國畫人也成了傳統文化和傳統藝術的敗壞者。」（註三三）「天下沒有新鮮事」，在幾十年前，爲畫展名人聯名推薦，使被介紹者一躍自居名家者，當今更爲熾熱。這些皆是畫家人格的問題，這些人已自動喪失人品和畫品，也無任何資格可被稱爲畫家或文人畫家了。因爲「文人畫之要素，其第一條就是人品。」（註三四）

總之，文人畫雖是一條文人創作的發展大道，但它仍有阻塞中國畫發展的弊端，應當澈底地去改革，邁入正途。

第三節　臨摹之弊

臨摹是學習繪畫入門的一種方法，因此只能限於摹稿階段，而與創作是截然不同的。如依當今的智慧財產權法規定，若有仿造即是竊盜的觀念。因竊盜卻是犯罪，換言之，他人作品絕不可仿造。而臨摹、仿造在心理學上是一種依賴心理的現象與投機取巧心理。畫家若只是心存僥倖卻沒有信心，哪些面對終生不見名利的繪畫事業呢？更談不上爲藝壇的發展作出創造性的貢獻了。尤其是在繁多而深奧的水墨山水畫中，臨摹實是使繪畫停滯不前的大絆腳石。

鄭昶在《中國畫學全史》中說：「明代山水畫，競尚摹倣，號爲名家者，其畫要皆有所師法。自明初而至嘉靖間，近嫌元季畫風放逸，而遠喜南宋院體之整美，學者往往宗法劉、李、馬、夏；其師董、米、及元季四家者，雖也有人，然多無大名，如冷謙、周臣、唐寅、尤求、石銳諸家皆爲學劉、李之高手。」鄭昶又記曰：「臨摹一道，幾爲明人習畫者之不二法門，……總之，明人圖畫之思想雜、學術渾，美言之，可謂集前代之大成；毀言之，則之雜法前人，極無新建樹可言。」（註三五）這是爲師承以顯耀自己名氣的歷史證明。

又如俞崑的《中國繪畫史》關於明朝之繪畫也說：「明朝山水畫以注意於寫景者少，故多沉溺於古人法度之中，不能翹然自異。」又說：「明朝山水畫可謂臨摹之大觀，茲就載籍所述，考其臨摹之信而有徵者，條分縷析於下：臨摹唐人者，……臨摹五代人者，……臨摹宋人者，……臨摹元人派者。」（頁三〇三—三一三），臨摹榜上的名單共佔十頁之多，共五〇三名。而山水創作派者僅二六名，（頁二九九—三〇二）明朝山水畫臨摹之盛眞可謂爲「大觀」了。（註三六）所以俞崑沉痛的說：「明代山水畫雖派別甚多，然率出於摹倣，縱屬大家，亦不能獨創。於是作者咸以臨摹古蹟，通眞古人，爲無上之光榮。結果其上焉者不過造成古畫之複製品，其下焉者，則每下愈況，末流甚且弊端橫生，陷於魔道。……故明朝繪畫直可名之爲臨摹全盛時代，亦可謂之創作衰微時代。繪畫史上固有一明確

之象徵，而吾人觀之，殊足以引爲不幸者也。」（註三七）

鄭昶在《清之畫學記》說：「清季諸畫家數已何啻千百，若欲擇一繼往開來者，實不可得。惟模古倣舊之風，則大熾。卒至除一、二有眞天分、眞人工外，非墮入魔道，即爲古人之奴隸而不能自拔。」又說：「清人言畫學者，力主倣古，如逐時好而自立門戶者，必深毀之，以爲蔑棄古法，誤入魔道。」鄭昶書中又說：「唐宋以後，畫家一脈，自元季四大家趙承旨外，吾吳、沈文、唐仇，以承董文敏。雖用筆各殊，皆刻意師古，實同孔出氣。邇來畫道衰熸，古法漸湮，人多自出新意，謬種流傳，遂至衺詭，不可救挽。」（註三八）俞崑也說：「滿清入關，統一中國，漢族受其專制壓抑者，二百六十餘年。……以明末遺民痛形式倣古學術之空疏無用，力倡經世致用之說，援古證今，遂啓考據之學風，清朝帝王亦利用此弊精竭神之方法，以錮閉學者之聰明才力，……同時並大興文字之獄，以專制淫威，壓制革命之思想。」（註三九）

以上繪畫史學家及名畫家、理論家的言論，都已證明：中國山水畫自元、明，經清朝至今，都是相互臨摹，使臨摹已變成一種根深蒂固的大毒瘤。所以此毒一中，萬劫不復，並也已找到了千年的幫兇——元朝趙孟頫，其「提倡復古，以臨古爲光榮，以創新爲狂怪。」（註四〇）諸家共認臨摹是「魔道」，其弊端橫生，是爲中國畫道隆替盛衰之樞紐。評臨摹之流是「捨難就易，投機取巧」之弊。今日，在《智慧財產權法》之中則是盜取他人智慧財產的犯人，是需要受法律制裁的。當今畫壇上的犯人，也是導致中國繪畫不能進展的歷史罪人——臨摹者。

在痛心之餘，仍探討出阻止臨摹之良策：

一、不落於流派，不固守師承

所謂秉師承就得學習師法，需臨畫稿。而老師之上又有一、二位老師，或者是老師所敬崇的名家，因此日子稍爲長久，即落入了流派的小圈圈之中。而圈圈之外卻漸漸無法接受，終於形成了在老師之下的一個風格。變成了既突不破，又離不開的局面。畫本無定法，而法更無絕對；法只是工具，而工具還得要得心應手。換言之，個人的心聲須要以自己的口和言語來表達。不論是臨古或臨今，任何流派都會落入一個佈局、運筆、設色，以至於思路成規的僵化形式之中。相反的，若是沒有定規、定法或是長年累月的環繞在心中的一種習慣性的形象，深信有志於繪畫的畫者，誰都會想畫自己的畫，同時決心不死守於傳統的方法。因在一生之中總會找出屬於自己的方法，動用了自己的腦力，而不是別人的。自己的腦力用久了自然會牽引出屬於自己的潛力與智慧，終變成了屬於自我的新風貌，如此的作爲正是中國人對中國畫的貢獻了。

二、以臨摹為恥，以創造為榮

臨摹早已被認定是奴役、盜賊，更是終日反覆咀嚼古代殘渣者。所以，臨摹可說是一種極爲羞恥之事，絕非光榮，應當自重。臨摹是畫家生命消失的徵兆，是智慧的阻塞及自我的沉淪。例如，清初山水畫家中的「四王」，其爲山水畫而終生努力，個個皆有天份智慧，也有作畫的環境，但怎知會步入了臨摹的死巷道，而未能有機會去發展個人的創作才華，並幾變成爲歷史上臨摹的罪人，可以作今人之鑑。如《繪畫》所述：

「在清朝初年，復古主義的代表人物『四王』，其中不乏藝術上的功力、才能和天分。但像王時敏畫山水，卻只知臨摹而不知創作，其作品風格不出黃子久、董其昌的範圍；他推崇王翬，並非王翬有什麼創造，只是因爲王翬學習古人的成就較大。」如王時敏「倣王維江山雪齋」（圖七）及王翬的「倣曹知白山水」。（圖八）又說：「王時敏還以吳門畫家爲例，說『吳門自白石翁、文唐兩公時，唐宋元名跡尚富。鑒賞盤礴，與之血戰。觀其點染，即一樹一石，皆有原本，故畫道最盛。自後名手輩出，各有師承，雖神韻浸衰，矩度故在。後有一、二淺識者，古法茫然，妄以己意炫奇，流傳謬種，爲時所趨。遂使前輩典型，蕩然無存，至今日而瀾倒益甚……良可慨也。』王鑒也是只知古人而不知有自己，聲言『畫之有董、巨，如書之有鍾、王，捨此則爲外道。』王翬雖能博採古人之長，作畫無一筆無出處，但就是沒有他自己的面貌。當時的大家尚且如此，一般的畫家就更不敢稍有自我個性的表現了。以古人的作品代替現實生活和眞實的自然，以泥古代替創新，使藝術主體失去了創造精神，使藝術成了一潭死水。魏晉至唐宋以來，中國畫壇上那種五彩斑爛、生機勃勃的個性主義，也就成了昔日的回憶。」（註四二）

總之，臨摹之弊已爲中國畫壇上首須剷除的工作，同時更認同消去臨摹爲正確觀念。這種痛心之臨摹、羞恥之臨摹，當在中國畫壇除掃殆盡，此積弊爲急務。於此以俞崑藝術史論的話，評臨摹之害作爲結論，同時也讓我們可共同參與「消滅臨摹」之行列。俞崑說：「中國繪畫本以寫生爲重，獨創爲能，故傳摹移寫，認爲畫家末事。歷觀六朝、隋唐、五代、兩宋之諸大名家，亦互有師承，然莫不以造化爲旨歸，而獨創宗派。……唐宋之時，成法尚少，名蹟亦鮮，作家無所臨仿，遂能一空依傍，卓然有以自立，……作者競以自出機杼爲高，故畫道之進步極速。其後成法漸多，名蹟日多，就古人之成作，臨摹甚易，就造化之實體甚難，捨難就易，人之恆情，於是創作漸少，臨摹日多。元初如趙孟頫、錢選等輩其力非不能創作，而乃力倡復古之論，……俱舍創作而爭事臨摹，此毒一中，萬劫不復。……蓋已積非成是，畫家只知有臨摹，只知有古人，若語以創作，無不驚駭卻走以狂怪，此種風氣階之厲者，不能不歸罪於首先提倡復古之趙孟頫一派。此事爲中國畫道隆替盛衰之樞紐，故不憚辭費力痛論之，深冀求未來之畫壇，有以掃除此積弊也。」（註四二）

第四節　畫商與資訊之弊

畫史本來就該是畫品的公正評論家。但由於現在已步入工商業社會的顛峰，使得凡工都論價，凡品都計資；畫家是人，人要生活需要錢，而一幅畫更是畫家用其精神心力和時間所產生的作品。作品本應當自己保存或贈送友人，但若是保存了作品，卻餓了肚腹，同時缺乏了買筆墨的錢。另一方面，即使作品贈了友人：一則友人未必懂得珍惜，說不定當廢紙而棄之；二則得畫之人更無暇去想畫家終日作畫，無時間去打工賺錢，正在挨餓受寒呢！因此畫畫變成半事業及半職業，或從事變成副業；後者並不能傾畢生之精力於繪畫，而多人不爲也，性情也不爲也。前者則是當今半世紀來最盛行的，從半職業中，嚴謹的保守住其繪畫事業。其辛苦是必然。不過在辛苦中總仍想尋得一片公正的空間，畫家也就甘之如飴了。（因畫畫是畫家最大的喜愛。）因此，畫家就開始舉辦畫展，而畫展最主要的目的是要展示給行家指教的，同時附帶的也就是計價賣畫，這也是正當的事。何以賣畫也爲正當的事呢？就以歷史上熟悉的故事來說明其中原由：

「吳問卿死於順治庚寅，臨終時竟以《智永千字文》與《痴翁富春山居圖》投火爲殉，較諸焚者鶴，尤爲慘酷。幸其從子靜庵，乘其瞶亂，投以他冊易出，而前卷數尺，已罹劫灰。《惲南田甌香館畫跋》，記此甚詳。謂吳問卿愛玩者有二卷，一爲《智永千字文》眞跡，一爲《富春山居圖》，將以爲殉，彌留爲文祭二卷，先一日焚千文眞跡，自臨以視其燼，次朝焚《富春山居圖》，祭酒面付火，火熾輒還以內，其從子吳靜庵疾趨焚所，起紅爐而出之，焚其起首一段。」（註四三）

臨終焚字畫，伴葬左右之風不可開。就從吳問卿愛書畫、收藏書畫，以至於臨死沒法陪葬之摯情若是早年《富春山居圖》（圖九）不在他手，而收藏者或畫者都不願割愛，贈送給他，但他又眞的喜愛著《智永千字文》和《富春山居圖》，此時他又有巨款，試想他會不花錢購買嗎？中外古今也眞的有許多人士喜愛繪畫和收藏繪畫。這就是在畫展時賣畫的眞正對象了，所以說，賣畫也是一樁正事。

可是又因工商社會，人人忙碌，又人與人之間老死不相來往者衆多，所以畫展需要資訊、大傳等新聞的傳播，漸漸地又有畫商的仲介。在此種種層次中也就產生了弊端。

畫家作品的展出，畢竟也少不了中間人的協助，畫的推銷商不僅負責展售畫，同時也發揮了催生的作用。而畫商更是興風作浪，這些原是無可厚非的，因爲清者總是自清。但最不幸的是：一部分非畫家爲沽名釣譽，勾結畫商，別出心裁的興起一股迷惑報導雜誌而大吹大擂之風，使得畫壇一片混亂，畫不分好壞，畫家不分高低，黑白倒置，也使得畫商天旋地轉，以至於惡性循環。當今評論家劉文潭說：「……商人（畫商）的終極目的何在？其實不問可知，爲了達到圖利的目的，他們不惜採用一切聳人視聽的手段，在大衆的心目中，造成先入爲主的印象，使藝術家和他的作品，於瞬時之間就變成了萬衆矚目和爭購的對象。無可諱言的是，現代人對於事物的價值判斷多半受到大衆傳播工具的左右，而負責大衆傳播的機構又往往抵擋不住操持在商人手中的銀彈攻勢。如此一來，就形成了吹噓與盲從的連續惡性循環。這種情勢，可以說是由來已久，於今尤烈！難怪上一代保守的批評家要抱怨說：『現代藝術完全是推銷商的騙術！』。」（註四四）由於非畫家（也包括被名利誘惑的失職畫家）、畫商和誤導的傳播者，其將名利均分爲三，將霧水蓋住無處可訴的大衆，將黃蓮塞進畫家的咽喉裏，落個各品其味的下場！這種人爲的不公平及不公允的情況下，產生了副作用，這種副作用，才是繪畫發展上弊端的重點。

因許多原本全心投入創作有天賦的畫家，對畫壇本應有很大的貢獻，而又當能名垂青史的，卻因受不了貧窮、寂寞之故，亦又擋不住名利的引誘，就毅然決然的離開了筆墨，而走進喜宴、官場、商場，去交際應酬，每每通宵達旦，花時間去高攀達官貴人，用才智去交際應酬，其手段方法可說無所不用其極，因而使得畫界更為混亂，更失公允。而更大的損失則是這批畫家因此由全職畫家遽然變成了特殊的業餘畫家，因為他將繪畫視為副業，將交際應酬視為主業的人了。能不稱為「痛失英才」嗎？其實為大害也。

另者，終生默默耕耘，全心投入創作的畫家，總不得鼓勵，卻反被削減銳氣，難免在這不公正的強烈世態下，產生沮喪消沉的念頭，因而減少了許許多多的創作精神與心力，這種無形的創作損失，是無價可估的！痛哉！

【註釋】

註　一：俞崑，「中國繪畫史」（台北市：華正書局，一九七五年九月台一版），頁一六六。

註　二：大村西崖著，陳彬龢譯，「中國美術史」（台北市：台灣商務印書館，一九六七年三月台一版，一九六八年五月台二版），頁一三六。

註　三：同註一，頁二八五。

註　四：同註一，頁三九九。

註　五：伯精等著，「論山水畫」，（台北市：學生書局，一九七一年十月初版），頁七四。

註　六：同註五，頁七四。
註　七：同註五，頁七五。
註　八：明遺民釋道濟，「苦瓜和尚畫語錄」，中國畫論類編（台北市：河洛圖書出版社，一九七五年五月台景印初版），頁一四九。
註　九：同註五，頁七五。
註一〇：蔡秋來，「宋代繪畫藝術成就之探研」（台北市：文史哲出版社，一九七七年十一月初版），頁一三〇。
註一一：唐朝張彥遠，「歷代名畫記」（台北市：廣文書局，一九七一年六月初版），頁二六七—二六八。
註一二：同註一一，頁二六八。
註一三：鄭昶，「中國畫學全史」（台北市：中華書局，一九五九年十二月台一版），頁二九二。
註一四：同註一〇，頁一五一。
註一五：同註一，頁一六七。
註一六：同註五，頁七五—七六。
註一七：同註五，頁七七。
註一八：同註一三，頁三三九，三七一—三七三。
註一九：同註一，頁二八一。
註二〇：文人畫即是畫中帶有文人之性質，含有文人之趣味，並不在畫中考究藝術上的工夫，必須於畫外看出許多文的之感想。文人畫重精神，而不貴形似，所以寧樸毋華，寧拙毋巧，寧醜怪毋妖好，寧荒率毋工整，純任天眞不假修飾。文人畫的要素，第一人品，第二學問，第三才情，第四思想，引於陳師曾著《中國文人畫之研究》，「文人畫之價值」。

註二一：傅抱石，「中國古代山水畫史研究」（台北市：中華藝林文物出版社，一九七六年十一月卅一日出版），頁七九。

註二二：王慶生，「繪畫：東西方文化的衝撞」（台北市：淑馨出版社，一九九二年九月初版），頁六三。

註二三：同註二二，頁六二—六三。

註二四：同註二三，頁五九。

註二五：同註二三，頁六〇。

註二六：同註二一，頁七八。

註二七：同註二一，頁八〇。

註二八：同註二一，頁八〇。

註二九：同註一，頁二四〇—二四一。

註三〇：同註一三，頁三三五。

註三一：同註二一，頁八一。

註三二：同註二一，頁八一。

註三三：同註二，頁一三〇。

註三四：同註二〇，頁一〇。

註三五：同註一三，頁三七四、四〇六。

註三六：同註一，頁二九九—三〇二。

註三七：同註一，頁二九四。

註三八：同註一三，頁五二二—五二三。

註三九：同註一，頁三九二。

註四〇：「畫家只知有臨摹，只知有古人，若語以創作，無不驚駭却走以爲狂怪。此種風氣階之厲者，不能不歸罪於首先提倡復古之趙孟頫一派。」同註一，頁二四七。

註四一：同註二三，頁一三一—一三二。

註四二：同註一，頁二四五—二四六。

註四三：虞君質，「藝苑春秋」（台北市：文星書店股份有限公司，一九六六年十一月廿五日初版），頁二。該文句引自該圖前段收藏家吳湖帆在其作品「元黃大痴富春山居圖燼餘本」一文中所述。此奇事，在一九七一年在文大藝研所莊嚴和李霖燦也親口講述過。

註四四：劉文潭，「藝術品味」（台北市：台灣商務印書館，一九七八年五月初版，一九九二年四月第四版），頁八。

第五章　水墨山水畫創作之心源整合

水墨山水畫是門深奧的學問，並不僅止於技術。因爲技術祇需勤學熟練，學問則需愼思明辨，前者用手即可，而後就必須用心去思去想了，所以水墨山水畫是心靈的事業，而非職業。就從古今中外畫派林立，畫風日新月異，這不在於外界物源的更新，全在於各個畫家心中之源的千變萬化所致。所以要想成爲一位好的水墨山水畫的創作家，必須具備畫家心源的條件，如同道德家得具有道德的心源，宗教家得具有宗教家的心源一樣，而一位水墨畫家也得具有一顆充足的畫家的心源，此心源就是創作之源，如愛心、勤心、膽識、靜心、敏心、與想像力，本章即針對著水墨畫家當具備的創作心源，加以整合與歸納。

第一節　愛　心

《論語》中說：「樊遲問仁，子曰：『愛人』。」（顏淵），孟子也說：「仁者愛人《孟子：離婁下》），仁者的精神狀態，達到極點是「天下歸心」（《論語》顏淵：「一日克己復禮，天下歸仁焉。」（註一）「渾然與物同體」《程明道．論仁篇》。宇宙是天、地、人三者的組合。人是天造，是地養。而天是神，地是萬物之母，人又大於萬物，居爲萬物之靈。三者互動，宇宙才能生生不息。能以此長久生生不息，又沒有被毀滅的原因，乃是靠著仁，依著愛的牽引。所以中國先賢早已言仁能天下歸心，又能渾然與物同體；人能同心，物能同體，則是愛的效果了。

唐君毅在《中國人文精神之發展》一書中說：「依人之仁心，皆欲在原則上要求其不互相衝突，而相容俱存。由此知仁心即是人最廣大的價值意識。人在不同時空的價值意識，可能只偏於某一方面，而蔽於另一方面。而人之仁心則要求補其所偏，而彰其所蔽。因而仁心也能判斷一切價值意識的高下及偏全的良知，或良心，與人之一切價值意識，得不斷生長擴大，而完備成就的根源。因此，他可以爲人生在世行爲活動的至高主宰。」、「仁心之所以爲人之一切價值意識的根源，是因人的仁心直接肯定直接經驗的世界之存在，也直接肯定一切世界，有價值的一切事物之價值。仁心本性，不同於分析的理智之從事抽象，而是要成就具體的事，而不傷之。人望人之得其生，是仁心之表現。……故仁心，是一直接成就，持載、護惜、具體事物之世界的心。而此心亦復是能肯定『一切有價值的自然事物，與一切能實現價值的人之精神態度，如人之宗教態度藝術態度』，肯定『表現價值的人類文化與其歷史』的心。」（註二）前段所說仁心是，人生在世行爲活動之至高主宰。仁能公正，不含偏蔽；仁能概全，不遺不漏、不衝突而能俱存。後段所言，仁心就是藝術態度的表現。仁心是世界心，也是文化心、歷史心，也是這廣大空間的世界心及深遠時間的文化歷史心，也就是宇宙心。以此種長闊高深的宇宙心，其藝術態度乃是至高主宰，對人有愛、對物有情，爲公正概全之大仁，也正是一個水墨山水畫家在創作上所需要的藝術心之一，即是愛心。反之，若畫家沒有了愛心，那對物的見解必然是偏激的，亦無能力看見物的眞相，只見皮毛，至多表現出來的是支離破碎的片面，而不見整體。其因對物不仁，故最多畫出的是軀殼死物的表面，而不是神之又神的生靈活物。換言之，這種無仁的畫家，最多祇是位行屍走肉的工具。所以畫家必需將仁愛放置於心中。

常說智者樂水，仁者樂山。若想探得山水之眞性情、眞奧秘，並不是任何泛泛之輩都能得知的，一個山水客體具備何種條件始得爲美，在此暫且不論。至於水墨山水畫家們之本性中有何種素質，可使我們感受到美。其中畫家本性中的質素之一即是「仁」。若非仁者，對山水只能見它爲物體，而不能感受它爲精神活化。再言之，山水之靈性對於那無仁無智的畫人，自然會主動的隱眞而不現，因怕污染而又失貞。司萊格爾（Friedrich Schlegel，一七七八—一八二九年）說：「美不僅存在藝術裡而且……存在愛裡，所以眞美的表現在於宇宙的藝術和愛的藝術之連合。」（註三）龔克門（死於一八八五年）也說：「美是愛的根本。」（註四）由此得知美、藝術、愛三者之密切關係，是說美中必須有愛，又必須在愛的藝術與宇宙的藝術連合的情勢下，才得將眞正的美表現出來。換言之，若是缺乏了愛的藝術，美就無法周全的，同時也就陷於偏差的遺憾中了。就因爲「愛的藝術」和「美是愛的根本」之觀念，已深置於畫家的心，畫家因心仁而能體驗生活，能察曉事物之脈動，因此，能將生活中的點滴之轉化成畫的感情，此感情如同是畫家之生命，這就造成了感動欣賞者心腑之作品。也正如野獸派的馬蒂斯所說：「一個創造者要灌輸生命到他的作品中，反才有力量去感動人。……要達到這個目的，熱愛是必須的……一切創造難道不是起源於愛嗎？」（註五）

一、愛能提昇並增進繪畫的生命

托爾斯泰（Leo Nikolavich Tolstoy，一八二八—一九一〇）說：「高尚的藝術品，不是戰勝的廟宇塑著戰勝者的像，卻是創造在愛裡的人類其心靈的描寫，能使受劫、被殺的人憐惜並且愛他的虐主。」（註六）在作者書中也述說了一個戲裡的故事，其說明了愛和無奈的生動力：「不久我談過一篇小說，爲述寫野民族倭過爾所演的戲。內有一段說：『兩個倭過爾人，一大一小全蒙上鹿皮，一個裝扮成母鹿，另一個裝扮成小鹿；還有一個扮演著持弓箭的獵人；第四個人則僞裝鳥聲，以向鹿兒警告危險。戲上演時，獵人按著踪跡去追那兩隻鹿。鹿兒從台上跑進又復跑來，台上則是佈著小樹林的景緻。獵人慢慢的追近，小鹿不知所措的鑽在母親的懷裡。母鹿停步休息一會，之後獵人追到正想瞄射。此時鳥兒大叫，報告給他們說：危險已到，鹿兒便跑掉了。於是獵人又往下追去，等到相近便又放了一箭射在小鹿身上，小鹿跑不動便投在母親的懷裡，母親則替牠舔傷，獵人後又放一箭，……。當時觀衆已個個面如土色，嘆息聲和哭聲立刻起來』。」（註七）其故事內容是作者已將其人性化了。戲中的主角：兩隻鹿，並非是噬皮吃肉之獸，而是被擬人化的、有情有愛的一雙母子，被獵人追殺時，兒子中箭，在劇痛與懼怕下，母親的懷抱就是生死的避難所，這時母親並不棄兒子而自我逃生，卻爲兒舔傷，而第二箭卻又射出。母子兩條生命在死亡差距間的愛憐與無奈，其情何堪？這就是作者愛心投射，而增添了藝術品生命力的效果。其中投射出有愛的藝術品，能結合人類的愛情。托爾斯泰說：「……譬如有幾個人站在一起，雖然並不互相仇恨，但他們的心地和情感都十分不同，忽然有一篇小說、畫圖、戲劇、音樂，便能如電氣一般，迅速把那些人全連合起來，使他們拋棄從前的仇恨，相互間生出愛情來。全都喜歡別人也和他有同樣感受，全都喜歡相互間所建設的交際；不但如此，還發生一種極神秘的快樂，好像同過去人類和將來人類凡有感受同樣情感的都有交際。這種樣子在傳達愛神及愛人情感的藝術裡是如此的，即使在傳達極平常而爲人類所共有的情感藝術裡也莫不若是。」（註八）

由上得知藝術中涵蓋有愛心的作品，能使人心和平而無怨，能連合人類共同的情感，並能增進藝術的生命價值，所以畫家心中不可無愛。

二、愛使萬物生靈活化

畫是人格的再現，畫家的作品永遠代表著他眞正的人格及他心底深處之眞相，那是無法細述的，就如同簽名之後可到銀行取款，其間不管你的字體改變了多少，或第一次簽名和近期簽名距離不管有幾十年之隔，但你的簽名永遠代表你自己的個性或血統脈動。畫和簽名是一樣的，是你的永遠會是你的，萬物本是無生命，但卻因人將自己的生命投射在萬物內，所以物就有了感情，成爲能言能訴，能哭能笑的活物了。這是藝術家在創作時所產生的移情作用。正如《繪畫與文學》中所說：「……從對象中發現生命，而覺得眼前都是活物。這不外乎把自己的心移入於萬物中，而體驗生活。」（註九）西洋學者稱這樣藝術創作心理為移情，中國畫論中稱之為「遷想」，能遷想就可妙得。《談美》作者對移情作用也有類似的語意，他說：「移情作用是把自己的情感移到外物身上去，彷彿覺得外物也有同樣的情感，這是一個極普通的經驗。自己在歡喜時，大地、山河都在揚眉、帶笑；自己在悲傷時，風雲、花鳥都在歎氣、凝愁。惜別時蠟燭可以垂淚，興起時青山亦覺點頭。柳絮有時輕狂，晚峰有時清苦。陶淵明何以愛菊呢？因為他在傲霜殘枝中看出孤臣的勁節；林和靖何以愛梅呢？因為他在暗香疏影中看出隱者的高標。」（註一〇）物體本身並沒有什麼哭或笑，或舞或蹈，或苦或愁的表現等等，之所以能在詩人畫家作品中表現出來，完全是作者給了它們思想和感情。假想它們如人一樣有感受、有人情，同哭同笑同呼吸，僅是人的單方向想法。這種借物表情的方式，卻是古今中外藝術家創作的途徑，並且是極必要的。若你眞凝神投射於物，物也就眞的能與你通電交流了，這是中國人常說的忘我或物我兩忘的境界，同時也是移情作用最好的說明。

在《談美》一書中又說：「物的形相是人的情趣的返照。物的意蘊深淺和人的性情密切相關。深人所見於物者亦深，淺人所見於物者亦淺。比如一朵含露的花，在這個人看來只是一朵平常的花，在另一個人看或以為它在含淚、凝愁，在另一個人看或以為它能象徵人生和宇宙的妙諦。一朵花如此，一切事物也當是如此。因我把自己的意蘊和情趣移於物，物才能呈現出我所見到的形相。我們可以說，各人的世界都由各人的自我所伸張而成。在欣賞中都含有幾分創造性。」（註一一）對於從事藝術之創作者，卻是如上所說，亦如李商隱詩：「春蠶到死絲方盡，蠟炬成灰淚始乾。」春蠶與蠟炬本是蟲和物，並沒有像詩人所想像中的那麼有責任感，或者命眞的那麼苦；而蠟炬更不是會流淚，僅是物理現象而已。但經由詩人感情和意蘊投射於它們，可使其活了起來，也就更感傷萬千了。所以畫家心中必須有愛，愛物才能見物以深，有愛才能將物比擬於人，更能見到別人看不到的路旁小花、暴風中的小鳥，因作者的愛及於萬物且感於萬物，使無情變爲有情，使畫家的愛返照在物體，物中有愛便使一切變成活物。

三、愛自身的繪畫事業而終生不渝

凡對自己所選的事業不專心愛護者，就如同不愛護自己羽毛的人，其事業終也不會成功的。觀古今中外成功的畫家，其首要條件是熱愛著繪畫事業，視繪畫如其第二生命。畫家多是熱情的，也多是執著的，其爲理想而從事繪畫創作，其理想多是爲著所愛——如同理想國之美好境地，熱愛著人類、宇宙、社會或大自然等。《藝術雜誌》裡有這麼一小段詩：「也許你知道，……也許只有你知道那個畫家，……畫室是我的戰場，沒有子民沒有軍隊的王國，只有色彩、畫筆、畫刀、調色盤，畫布是我的領土，也是戰場。我在此每天默默耕耘，每天和自己的心交戰數百回，攻和守，有時我戰敗，有時我戰勝。感性和理性，都在我一念間。」（註一二）是什麼原因令一個人願意放棄外面舒適、刺激與歡笑，而卻願意苦苦守候著，做個孤獨與寂寞的國王。就因爲這條路要走得太長太遠，只能踽踽獨行。然而卻有一個無怨無悔且不變的執著——愛。在這個大原則之下，畫家們肩負著對大自然之愛、大人類的愛，歷史之愛，於是日復一日、年復一年，只願用自我感受來傳達出繪畫創作之理念。所以拜倫說：「我並非愛人類一點兒，而是愛自然多點兒！從我們這些次晤談，我從中竊取到……，這一切我所是，曾經是，去與宇宙混化，並去感受，那我永不能表達的，愛的能力給了我們觀照的熱情，沒有這種熱情，那麼繪畫將無法做任何解釋。」（註一三）

總之，愛能使萬物並存，愛能促進歷史文化之豐富；畫家若心中有愛，而畫中自然會有情；情能領悟出畫的生動、和諧、感動與親切，所以愛豐富了畫的生命。畫家心中的愛，是可以感染於物，使物也產生生命。生靈之活物，件件都可納入繪畫素材行列，物我同心，天人合一，創作領域自會豐碩，畫的品味也自然高雅不俗。而後，畫家心中的愛，也能淨化自己人格，使自己對繪畫堅貞不渝，愛繪畫事業如同愛惜自己生命，羅丹也說，要熱愛我們的生命——繪畫，所以畫家要愛到鞠躬盡瘁，死而後已。這種達於繪畫及萬物，又可激勵畫家心志的愛之總合力量，絕對有益於繪畫之創作。

第二節　勤　心

「勤心」是言作畫當有勤快的心，就是在繪畫上用時和用心之程度。因爲任何一位成功的畫家，雖多靠天賦，但無不是靠不斷努力與勤奮而成的。本來從事於繪畫的人，從心底就愛上了畫畫，以作畫爲消遣，以作畫爲至樂，廢寢忘食者比比皆是。不過繪畫路程，並非平坦無阻，尤其在創作之際，關卡既多且難，常常聽到：「無法突破」，這時畫家會筋疲力竭，智絕才盡，甚至萬念俱灰，口中默默含著自己是「蠢材笨貨」，何況「蠢材笨貨」期往往是又長又慢，趕也趕不走，揮也揮不去。此時那種廢寢忘食的勤心，會因挫敗而遲鈍，長年下去，就會由愛而變成厭或膽怯，勤快作畫之心也就漸漸地冷淡了，在此惡性循環下去，創作更無法突破了，終使畫家之冠冕就此而失去！所以勤心又是剛強壯膽，不畏失敗之心，勤是畫家創作歷程上一顆重要的心。中國近代畫家潘天壽說：「易曰：『天行健，君子以自強不息。』是做人之道，亦是治學作畫之道。」（註一四）是的，天體運行，日月星斗，從不休息。天既都如此，人也該當如此，天下畫家更當如此的自強不息。又如近代雕刻大師羅丹在他遺囑裡說：「要有耐心！不要依靠靈感。靈感是不存在的。藝術家的優良品質，無非是智慧、專心、眞摯、意志。像誠實的工人一樣完成你們的工作吧。」（註一五）當一位畫家，畫畫就是本身當爲的工作，本當忠於工作，以耐心、毅力、自強不息的精神，勤快去做工，不該存有僥倖之心，用以等待靈感、依賴靈感而浪費大好時間。靈感並非完全沒有，靈感若先來到，就會下筆如有神之快速、敏銳，但有時靈感多在作畫創作中而降臨的。所以勤快不停的作畫，也是製造靈感的好方法。不需要浪費時間找靈感，但必須將時間用在勤於作畫上。

潘天壽在一九六二年十月談到中國畫問題時說：「中國畫技巧的成熟，要靠畫得多。這是成比例的。畫得多才能得到筆墨技巧的純熟。寫生也是一樣，也要靠熟練，才能活，才能有變化。」（註一六）又說：「吾信蓋五（蓋叫天），『笨鳥先飛』之言，博見饋貧，貫一治亂，補拙惟一勤字。是可以取法古人，更須『求諸活潑之地』，出路在傳令不株守舊本耳！」又在一九六一年訪問記中說：「要實踐、要用笨功夫、要苦幹、要耐心。做學問本身是苦的，只有不怕苦的人，才能嘗到甜的滋味。畫家不動手、詩人不動筆是不行的。」一九六二年仍然說：「想做好學問，要不惜代價，拚命下功夫才對。」（註一七）

以上所說的苦幹、下功夫、付出代價、勤以補拙等，都是說畫畫的人，要勤快動手畫，尤其在初學階段更得須勤而不息。他又在一九六三年談中國畫問題時說：「齊白石雖是木匠出身，他就拚命似的拚，做詩刻印、畫畫，老了還天天做詩。他能得到這樣的成就是不簡單的。」又說：「『讀萬卷書，行萬里路』，畫畫一半是技術的修養，一半是其他方面的修養，繪畫是思想意識的反映，它是全面的，只畫幾筆是不行的。」（註一八）他不僅以齊白石之勤作成功之比喻，又啟開了用勤於另外一方面的看法，如讀書、行路及思想意識之增進。換言之，畫家不止勤於技術之熟練，更得勤於觀察、勤於畫思的修養了。

近代畫家李可染也論到精於勤的作畫工夫，並舉出近代幾位成名畫家勤的實例；他說：「藝術家的勤與儉是聯結在一起的，齊老（齊白石）一生勤奮，作畫不息；而生活上又十分簡樸。一般人常有的某些娛樂和嗜好，他卻很少。著名京劇武生老演員尚和玉曾對我說過這樣一段話：『我們在台上演戲，觀衆看來很輕鬆愉快。但是，人們並不知道，我們在台下流過多少汗水。爲了給觀衆最大的藝術上享受和精神上的滿足，實際上我像半個出家人，許多娛樂和休息都放棄了。』我看白石老師的一生也確實如此。九十歲以後，白石老人每天平均至少畫五張畫，多時達八九張畫。除了生病，從未間斷。……他臨終前給我最後一幅手跡是『精於勤』三個字。算來白石老人在藝術上的磨練功夫足足有七、八十年之久。他的藝術造詣之深和藝術境界之高，絕非偶然，實爲一生勤奮的結果。」

李可染又說：「黃賓虹先生也是一生勤奮，嘔心瀝血，苦練功夫。……一張畫能畫七、八遍乃至數十遍，畫面郁郁蔥蔥，氣象蓬勃，豐富之極，而不失於空靈。……一個晚上就一口氣勾了八張山水畫的輪廓。前輩老師用功之勤苦，實非我等後輩可及。徐悲鴻先生作畫勤奮，常以『拳不離手，曲不離口』這兩句話勉勵青年。黃胄一年畫了二十刀宣紙；吳冠中畫畫，一坐下去連續畫了十個小時不起來。中午吃點乾糧又接著畫下去。這種勤奮精神，難能可貴。數十年來……結識許多有成就的藝術前輩，……有一共同條件，這就是爲了實現自己藝術的理念，提高藝術的表現力和感染力，他們的藝術生涯沒有一個不是在勤奮中度過的。」（註一九）

就李可染從一九五四年一九五六年，「曾兩度經年背負畫具遍遊太湖、杭州、雁蕩山、紹興、黃山、嶽麓山、韶山、桂林、重慶、成都、萬縣、樂山、淩雲山、峨嵋山、嘉陵江、泯江和棧道等地寫生，飽覽名山大川之勝。」（註二〇）他這種勤奮比前輩有過之而無不及。但以上中國大陸諸位大畫家，四十多年來，因中共制度下對畫家之使命感不同，所以以上諸大師的時間皆花在中國大陸名川大山的寫生上了，而捨棄客體性的全然心靈之自由創作則甚少見。其實寫生或客體上的大變化與小變化，並非是繪畫藝術之目的，寫生是創作的前奏，而眞正主曲是作者心靈之奔放，不是要畫什麼，也不爲什麼而畫，也不爲觀衆懂不懂而畫，所以不論具象或勤心確實可佩，若將一半的勤心用在心中的宇宙，不再僅是「所謂祖國山河」時，相信他們的畫格風貌就會更有貢獻，更不同了。換言之，我們當學習的是他們的勤奮心，並不是將全生精神專用在寫生上。現在讓我們再察看一下古代名山水畫家之勤奮精神，以及他們將勤心使用的不同層次。分述於後：

鄭昶《中國畫學全史》中記載，南朝宋的大畫家宗炳，當他一觸摸到山水畫，就著了迷，勤奮得樂之不疲和不知老之將至的程度，這完全是畫家對畫事之熱愛，同時又被山水強烈吸引所致。宗炳《畫山水序》中云：「……余眷戀廬衡，契闊荊巫，不知老之將至……。」、「宗炳高士，以山水爲樂，樂之不疲，……故曰：『暢神而已』。」（註二一）從中得知宗炳對山水之樂與作畫之勤。又俞崑編著的《中國繪畫史》中五代山水畫家關仝：「長安人，工畫山水，初師荊浩，刻意力學，寢食都廢，有出藍之美。」（註二二）在同一朝代（五代梁）荊浩之好學於其筆法記中顯露無遺，記上曰：「太行山有洪谷，其間數畝之田。吾常耕而食之。有日登神鉦山回望，迴跡入大巖扉，苔經露水，怪石祥烟，疾進其處皆古松也。中獨圍大者，皮老蒼蘚，翔鱗乘空，蟠虬之勢，欲附雲漢。……明日攜筆復就寫之，凡數萬本，方如其眞。明年春，來於石鼓巖間，遇一叟，……曰：『少年好學，終可成也』。」（註二三）

荊浩隱居深山，詳細察看老松姿態、皮鱗及神情，又勤寫它數萬本之多，實算得上勤之最的前輩畫家了。山水大家范寬：「乃卜居於終南、太華，常危坐山林間，終日縱目四顧，以求其趣，發之毫端。」（註二四）范寬居住在山裡，以深山爲家，親近山林、觀看山林、了解山林，又終日縱目四顧，發之毫端。這種勤奮於接觸山水，可與中唐隱居山的王維比美。再轉回看近代的水墨山水畫家的勤奮之心與古人來比，許多是有過之而無不及了。如徐悲鴻對李可染說：「我一生很喜歡荷花，但不敢畫，要畫荷花，就得給我二十刀宣紙，畫完這二十刀宣紙，才可以說會畫荷花了。」（註二五）這些大畫家不知是否是學習荊浩畫松數萬本之勤奮精神，不得而知。若他們同荊浩也生長在五代中之梁，也遇見一叟翁，一定也會授他們「畫之六要」之外的妙法或神韻，至少會同荊浩一樣被讚賞曰：「少年好學，終可成也。」古人學畫如此勤，而今人想成爲一位成功的水墨山水畫家，更也如此，畢竟天下沒有不勞而獲之事。勤奮之道畫家當該嚴守，而成功道上之大敵，卻是驕傲。李可染有段話說得貼切而爽直：「治學一定要紮紮實實，來不得半點虛假。……有些青年人摹仿別人的幾張畫，表面看來差不多，就覺得有才氣，自以爲了不起，從此驕傲了。學習的最大障礙是態度不老實，是驕傲自滿。驕傲自滿是淺薄的表現，是無知的表現。」（註二六）

除觀看勤、寫生勤之外，更要思維勤。因爲勤於動手作畫，和勤於思維而沒作畫，兩者外表顯然不同，但在勤的效果卻同樣重要。如《畢卡索藝術的秘密》一書中論到畫商對於畢卡索的創作態度說：「在優秀的畫家中，像勃拉克或勒澤（Leger）那樣，每天一定照進度而有規律地工作，然而畢卡索並不這樣，他有時候一整天，不，甚至一星期什麼都不工作，只是發呆，但是一旦做起事來，就會連坐墊都坐爛似地把作品畫起來。」（註二七）一九五五年畢卡索版畫展在哲內甫舉行的時候，現在已去世的高克多在開幕時的演講中這樣說：「諸君，向一生堅持到底而作畫不輟的畢卡索學習罷，那麼請大家起立致敬！」（註二八）畢卡索藝術的秘密一書中云：「在藝術家畢卡索的字典裡面，絕不能說沒有努力這個字。畢卡索從一九四五年開始從事版畫工作，一九四六年則從事陶器工作直到一九四九年止，他在版畫的大作品有二百餘件，陶器在二年間更增加到一五〇〇餘件的龐大數目，沒有一件不是精美的作品。」（註二九）從畢卡索作畫的經歷中看，有時他一星期之久一筆不動，只是在發呆，但有作畫卻將坐墊坐爛，別人稱讚他的字典中沒有「不努力」這個字等言論，兩年內陶器作品多達一五〇〇件，並無不精品等等的記載中，這以勤來講豈不矛盾？很顯明的是說畢卡索是一位勤而成功的大畫家，而他的長時日之發呆，不僅不是懶，卻是勤於思考的勤，比勤於動手更為重要。這是一種不動筆而動思維的勤。而還有一種是非常勤於動筆，但卻是一種極少有功效的勤，即是臨摹。如明末清初的畫人，為追求名門師承，其臨摹之作無不勤而且奮，就因為只勤於臨摹名家而終其一生，卻無暇用於創作，更無暇勤思於創作，這種勤實為可惜！

由此得知，水墨山水畫家是要在創作上勤用工夫，包括不動筆而動思想之勤，又不能以畫多少幅畫為勤或為懶，也不是畫多少地方之名山大川為勤的計算方式。

第三節　膽識

膽識是繪畫創作心靈上的一個大動力，其包括畫家的信心、膽力、見地，以至於狂心。常言道：「藝高膽大」，其意是說：一個藝人若是技藝高超，就會有信心成功，也就很膽大的去表演。但往往也有許多藝術家，其私下技藝很成熟、思路也很敏快，但當他創作時卻又絆手絆腳的，牽東掛西，不乾脆亦不痛快，此常見於音樂的演奏、獨唱，或劇中表演，繪畫落筆之際，此種情形，就如同萬事俱備，惟欠東風。這個東風即是膽力，有膽力就能驅除猶疑、膽怯；膽力能將這一片混亂的心境統一，所以說膽力是畫畫的推動力。

常聽人說：「大膽用筆，小心收拾」，這裡的大膽用筆，並不僅限於用筆上的大膽，而是說凡用於作畫上的一切，如用墨、用意、構圖、造景等都得大膽。膽要有識才不盲動、不決裂。畫家的「識」是，能辨藝術精神之眞僞，能知事物萬象之美醜。所謂識明則膽張；但古今諸多畫家心中就缺此一「識」，故一生無進展，可惜之至。所謂滿紙墨彩，胸無點墨，心無光芒。而「膽」的意義，葉燮說的更爲明白：「無膽則筆墨畏縮，膽既之出矣，才何由而得伸乎！惟膽能生才。但知才受於天，而抑知必待擴充於膽耶！」（註三〇）

每個人心田裡都已儲存著無限的能量，這個能量我們稱爲「潛能」。皮爾博士著《人生光明面》裡說：「一個成功的人，一生中充其量只用了百分之十的潛能，還有百分之九十尙待開發。」每位從事繪畫的人莫不是日夜思量著繪畫，終生熱愛著繪畫，迷於畫，狂於畫，這種情況在畫史上的例子比比皆是。因此畫家心底的創作資源已不知有多豐富了，但所需要的就是那能揚起潛力的催化劑—膽量。所以怎能不重視膽量、培養膽量、運用膽量，使千千萬萬個已成熟的畫源變爲藝術品，而讓它永沉在心海，隨著畫家的生命老死消失掉呢？

人心的智慧財產遠比地下的金礦爲寶貴！膽量比金剛鑽還重要且優先。這種膽量在外表現是膽力，在內卻是畫家創作者的生命力，也如同是連續而充沛的精神力，在創作之前之後之中都具有巨大的重要性。虞君質在《藝苑春秋》書上說：「在人類的歷史上，有些偉大的藝術創造者，當其從事創作時，一方面把人格內部儲存的潛力作盡力的發揮，一方面在宇宙人生的事象中鎔鑄足以表現此潛力的形式，結果使作者本身的生命力量又移轉爲作品的生命力量，而作品的生命力量又移轉爲鑑賞者自身的力量，這樣遞嬗推移的結果，形成了藝術全部創作及鑑賞的過程。」（註三一）羅丹在其遺囑裡也說：「你們要有非常深刻的，粗獷的眞情，千萬不要遲疑，把親自感覺到的表達出來，以及即使和存在著的思想是相反的，也許最初你們不被人了解，但你們的孤寂是暫時的。許多朋友不久會走向你們。」（註三二）粗獷眞情是可貴的，即使粗野得不令人了解，而那股勁力，那些眞情的衝動卻仍是可愛而可貴的那就是創作者的膽力，也正是虞君質所說：「把人格內部儲存的潛力作盡力發揮的那個力量」；換言之，內部潛力即使再多再強，若是缺乏催生劑的膽力，則永是潛而不出的廢物！

在中外畫家作品上或創作時的速度都可以看出畫家的膽量、生命力、以至狂力。例如唐代畫家吳道子。在藉酒助興，觀舞壯氣的情況下，一日之間完成了嘉陵三百里的江山之勝，其畫風的磊落，筆勢的強悍縱橫上看，是全靠著頂天立地的膽力，此刻膽力和內心的藝術才能，能相互交流，並互爲力量。在短暫時刻裡即能創出傑作，其力如神助，如直覺。其事可見鄭昶編的《中國畫學全史》所記：「道玄早年行筆差細，中年行筆磊落，寫大同殿壁嘉陵江三百餘里山水，一日而就。……性好酒使氣，每欲揮毫，必須酣飲。開元中，隨駕幸東洛，與斐旻將軍、張旭長史相遇，各陳其能，裴將軍厚以金帛召致道子於東都天宮寺，爲其所親將施繪事，道子封還金帛，一無所受，謂將軍曰：『聞裴將軍舊矣，爲舞劍一曲，足以當惠，觀其壯氣，可助揮毫；旻因墨縗爲道子舞劍。舞畢，奮筆俄頃而成，有若神助云。」（註三三）

再看同唐代的潑墨王洽，其作畫時膽與藝相融，如顚如狂的氣勢，鄭昶又說：「洽不知何許人，善潑墨，畫山水，時人故亦稱王墨。游江湖間，性多疏野，好酒，凡欲畫障，必先飲，醺酣之後。即以墨潑，或笑或吟，腳蹴手抹，或揮或掃，或淡或濃，隨其形狀，爲山爲石，爲雲爲水，應手隨意，倏若造化。」（註三四）這種膽大與活力的創作精神，在張彥遠則稱爲之意氣。這意氣是力足氣壯的勇氣，並非是儒夫所能爲的。鄭昶亦說：「開元中將軍斐旻善舞劍，道子觀旻舞劍，見出神怪既畢，揮毫益進。時又有公孫大娘亦善舞劍器，張旭見之，因爲草書，杜甫歌行述其事。是知書畫之藝，皆須意氣而成，亦非懦夫所能作也。」（註三五）

酒能助興，更能壯膽，於飲酒之後的吳道子和王墨揮毫縱橫，全無法度，其豪情萬千全身是膽，毫無掛慮。在這無法與無我的絕對自由之際，藝術才願脫穎而出。當然，所稱道的主角不是酒，而是酒後所帶來的興緻、膽量與忘我的創作心理形態。而這種心理形態是畫家當追求。再如唐代狂草大家張旭、宋朝米家山水創始人米顛（米芾），顧名思義的，他們的膽大到成顛成狂的地步。再如意大利藝術巨匠米開蘭基羅的繪畫和雕塑，以及畢卡索粗獷線條的作品，無一不是大膽、狂力，置生命於度外的那顆心力所成的。就我國的石濤、八大、齊白石等不都是如此嗎？如石濤《山水》（圖十），中外有名畫家大膽之創作力都是如此，不勝枚舉。

英國十九世紀藝術批評家及思想改革者的羅斯金，在其有名的《藝術講話》中說：「……當偉大的畫家的手在運動著時，無論那一瞬間，都被直接而且新鮮的意圖所支配著。並且終日手不停揮，不僅不感疲勞，而且如同鷲鳥的鼓翼一樣的努力畫下去。當此之際，以顯然的喜悅而工作著的筋骨，是強健而微妙的，而且頭腦方面的迸發出來的生命力量，也是偉大而堅強的。而且此種精力非但不感衰退，只有繼續增加，直到身體的組織因年老而發生變化的一天……。」（註三六）這就是畫家的膽量，由外至內，由始到末，內外交流，始末互動，川流不息而迸出光熱、火花，流出生命力、靈命和神力，隨著產生了新鮮而奇特的傑作。

總之，膽識是水墨山水畫自由創作的動力，若無膽識爲動力，則是「欲言而不能言，或能而不敢言，矜持於銖兩尺矱之中，既恐不合於古人，又恐昭識於今人，如三日新婦，動恐失禮，又如跛者登臨，舉恐失足」，那怎能充分發揮自己的創作才能呢？而創作眞正的膽力自由，實在在於膽識的運用，此膽識正如葉燮接前又說：「惟有識則是非明，是非明則取捨定，不但不隨世人腳跟，並亦不隨古人腳跟。……識明則膽張，任其發宣而所於怯，橫說豎說，左宣而右有，直造化手，無有一之不肖乎物也。」（註三七）以此作爲畫家創作時必得持有膽識之心的結語。

第四節　靜　心

所謂靜，是寧靜、靜思、冥想，聽不見外邊的聲音，不思考外邊的任何東西，但它絕不是睡著了或麻木了。靜與前面所說的「膽識」的「動」及勤學之「動」表面上是相反的，而在繪畫創作的心態上卻不矛盾，是相輔相成的。靜是動的充電，或者說是動的資源。

靜心是繪畫創作的資源，因靜心能讓一切浮動、急躁、煩慮沉殿、平靜而思維清晰。能使心鏡，再擦亮，使心思更有條理，再出發奔赴創作之戰場。所以說創作者雖狂，它卻不是瘋狂人的病理心，而是經過靜思後的整理、充電後的創作心。莊子在庚桑楚上說：「貴富顯尊名利六者，勃志也。……此六者不盪胸中，則正，正則靜。靜則明，明則虛，虛則無，無則無爲，而無不爲也。」（註三八）所謂正則靜，靜則明。一個人若能去掉富、貴、尊、顯、名、利之心理，就近於正人君子了。若能正，就必能到穩逸安靜無雜念的眞靜了，能靜心就明亮了、澄清了、沉澱了，世上的美好、藝術之物，也莫不一一呈現在你眼前與心板上了，還有什麼傑作不能畫出呢？無不爲也！

莊子《天道篇》又說：「萬物無足以鐃心者，故靜也。水靜則明，燭鬚眉，平中準，大匠取法焉。水靜猶明，何況精神，聖人之心靜乎！天地之鑑也，萬物之鏡也。……夫虛靜恬淡，寂漠無爲者，萬物之本也。」（註三九）其意是說，「萬物不足以攪擾內心才是清靜。水清靜便清澈，何況是精神呢！聖人的內心清靜，可以做爲天地的明鑑、萬物的明鏡。虛靜、恬淡、寂漠、無爲，乃是天地的本源和道德的極致。」（註四〇）水墨山水畫家在創作時就需要這顆能鑑天地，能照萬物的靜心。

虛靜就是指沒有做作、沒有計較，從一切相對價値系統所超越出來的自然心靈，以這種心靈去觀察天地萬物，因爲此心正如《齊物論》所說：「天地與我並生，萬物與我爲一」（註四一）的「爲一」之心時，還能有何美是我所看不到的呢？還有什麼「成竹」不在「我胸」？縱然筆飛墨舞似的瘋狂，仍是在靜時所觀照到的藝術，同時也是長年日久潛在於心底的藝術，絕非廢物或渣滓。

由此得知「靜」對於繪畫藝術的創作是如此重要。並將此重要性分述於後：

一、創作前的靜思

李普斯從心理學的立場來說美的觀照經驗。他認爲「把所與於心的雜多東西，將其統一於全體之中，這是心的本性。」又說：「所以心是一，同時也是多。心是多數中的統一，也是統一中的多數性。」（註四二）這宇宙萬象雜亂而繁多的東西，畫家並不是照單全收的，而是經過嚴格的篩選、過濾，使之有條理，因此這種心就是靜後的智慧心。林興宅著《藝術魅力的探尋》中說得更恰當，他說：「生活像一棵大樹，藝術僅描其一葉；生活是大千世界，藝術只是從一個窗口去窺視世界。因此藝術表現成功的關鍵，就是如何在『萬』中取出『一』，用『一』來包容、概括『萬』。藝術的表現就是借一萌芽而繪春光如海，畫一落葉而知秋意如殺。所以只有內在的思想、情感才使外在世界的存在有意義。也就是說，是『心』創造了世界。」（註四三）

這個收萬象為一，用一能包萬象的心，就是經過了靜思之後而產生的那顆能力心。正是英國詩人華滋華斯歸納自己的創作經驗所說的：「詩起於經過在沉靜中回味得來的情緒。」（註四四）清朝王昱在《東莊論畫》中說：「未作畫前全在養興。或觀雲泉，或觀花鳥，或散步清吟，或焚香啜茗，俟胸中有得，技癢興發，即伸紙舒毫，興盡斯止。至有興時續成之，自必天機活潑，迥出塵表。」（註四五）創作是件嚴肅的事，外人看來千萬般的輕鬆，在畫家揮毫時也是豪情萬千，毫無嚴肅之感，殊不知畫前的醞釀、靜思，此所謂絞盡腦汁的情況，就不是輕鬆卻是嚴肅了。創作前的題材、構圖、意境、思維等，都需要靜思能力的取捨、篩選和安排，以至去實取虛等等妙思奇想都得靜思。而創作前的感興培養和引發，皆需巧妙的靜思工夫。

二、靜動相輔相成

水墨山水畫創作的用心，並不是絕對放置在靜時或動時，但多時卻是在動靜互動之下而產生名作的，如朱光潛在《詩論》的第三章，「將詩的創作過程分為情趣與意象兩個階段，情趣是主觀的感受，只可經驗不可描繪，屬於動的階段；意象則是客觀的觀照，有形可描繪，是屬於靜的階段，最後主客合一，融情趣與意象而爲境界。」（註四六）尤其是他以動靜來描述創作之前的那份醞釀之靜的階段，也是萬物靜觀皆自得的靜觀心態。從中可看到創作時動靜之互動與個別之重要性。朱光潛在《談文學》中將動靜之互動而產生的創作說得更清楚：「作者對於所表現的情感，都必須能『出乎其外』，體驗過也觀照過，熱烈地嘗過滋味，也沈靜地回味過，在沈靜中經過回味；情感便受思想鎔鑄，由於附麗到具體的意象，也由於產生傳達的語言，藝術作用就全在這過程上面。」（註四七）人因物而生感動的第一經驗階段，也正是遵四時以嘆逝，瞻萬物而思紛；悲落葉於勁秋，喜柔條於芳春，心懍懍以懷霜，志眇眇而臨雲。但等到提筆創作之時，心就必須由感動而凝靜，這時雖說作者在馳騁想像，但基本上他的感情已不再衝動，而近於靜了。劉勰在《文心雕龍》《神思篇》中也有類似的見解。在第一階段時，登山則情滿於山，觀海則意溢於海，我才之多少，將與風雲而並驅。但是等到面臨創作之際，則「陶鈞文思，貴在虛靜。」（註四八）

這是所謂先動而後靜，尤其在第二階段，藝術家已冷靜下來，作第一經驗客觀化地反省與思量。其意並不在於改變，而只是將感情經驗拉開距離，以旁觀者的態度，通過藝術表現的思考性，而使感情經驗能更深刻化、更爲細緻化，不再只是原始而粗糙的情緒了。如此證明了動前須互動方能創作。在潘天壽《談藝錄》中說：「作畫時，須收得住心，沉得住氣。收得住心，則靜。沉得住氣，則練。靜則靜到如老僧之補納，練則練到如春蠶之吐絲，自然能得骨趣神韻於筆墨之外矣。」（註四九）他在作畫時的收得住心，則靜，是指專注靜思。所謂靜到如老僧之補衲，而「沉得住氣，則練」，雖沉得住氣也屬於靜，但這卻是暫時，是出發前的寧靜。所以他說如春蠶之吐絲，春蠶之吐絲是在工作，就不再是靜了，並且是迫不及待的工作，因爲肚子中已有絲，所以它是沉得住氣的動。這也說明了只有動靜互動，就自然能得骨趣神韻於筆墨之外矣！並且潘天壽非常讚賞中國的詩，其原因也就因爲詩的美感裡有靜中有動，動而益靜。潘天壽說：「詩的美感，可說是一種極高、極精深、極幽靜的美感。靜中有動，動中有靜。靜之、深之、遠之，思接曠古而入於恆久。其爲至美也。」（註五〇）

三、創作後的靜謹

在繪畫創作上的重要原則是大膽用筆，小心收拾。小心收拾，就是創作後將完成作品的整合工夫，而此須得小心的收拾，這也必須是靜謹、小心，錯失不得的。這種靜且謹愼之心，包含了畫家高深的藝術能力、智慧、成熟與果決，比如大膽的潑墨潑色或任意抽象，這似乎是任何人都會作。但後來的收拾、完成工作，非得有高度藝術能力的畫家才可爲，而不是憑著無能力的大膽就可以完成得了的。換言之，抽象畫要抽象到什麼程度才算好畫？又潑到什麼程度，才可以停？若再加添什麼才算好？這全是畫家靜思謹愼的收拾才能作到！畫後的收拾工夫須小心謹愼的靜慮，這是非常重要的，正如清朝王昱在《東莊論畫》中說：「未動筆前須興高意遠，既動筆後要氣靜神凝。」（註五一）此種「氣靜神凝」的專注心，即是畫家的智慧能力心，若有不愼，就前功盡棄。

第五節　敏　心

畫家所不同於別人的，當是有一顆敏感的心。這裡所談的敏，是指敏銳、敏捷、敏快之感性。畫家的敏感，是感人家尚未感受到的東西，他必能先感受；或是別人根本無法感受，而認爲不値得感受的事物，他亦能感受，亦敢於感受。常人會說畫家怪，異於人，其實這種怪才眞是創作的動力，這種敏捷、尖銳之感，才能使世上多少腐朽化爲神奇，（腐朽與神奇，其實只是人的觀念不同所致，有許多腐朽未必眞的是腐朽，只因多數人的「無知」，因此極需藝術家的提醒、表達及美化。）

英國前首相邱吉爾在談到自身業餘學畫時的體驗，他說當他有了一點繪畫經驗之後，他那麼驚訝地發現有那麼多是以前從未注意到的東西。……他不無感慨地說：「我活了四十多歲來，除了用普通眼光，從未留心過這一切。」（註五二）義大利美學家克羅齊（Benedetto Croce）在《美學的原理》中也說：「畫家之所以爲畫家，是由於他見到旁人只能隱約的感覺，或依稀瞥望而不能見到的東西。」（註五三）康，巴烏斯托夫斯基在看了列維坦的《永遠的安息》之後說：「他第一次見到俄羅斯中天的五光十色。……藝術家的眼睛具有職業上的敏感性，這種敏感並不是天生的，而是在長期的專業學識中所養成的。」（註五四）

以上各大家的言論意識是說一位眞正的大畫家，他的眼睛所看的和別人所看的並沒有兩樣，但當別人司空見慣時，大畫家卻從中看到了美的素材。因之敏感的心對於藝術創作上的重要性是無可置疑的。但敏感的心是天賦也是後學，這與愛心、感情移入之作用，都有密切關聯的。在古人著名作品中更能見到其作者之敏感度：如唐朝詩人、音樂家兼畫家的王維，能在隱居的生活中，將那些旁人常見卻不能感，旁人常聽卻無法領受的點點滴滴，以他敏睿的心及深度的感受力寫出生而活的詩來。如「空山不見人，但聞人語響。返影入深林，復照青苔上。」再如杜甫的詩：「顛狂柳絮隨風舞，輕薄桃花逐水流。」張泌的「多情只有春庭月，猶爲離人照落花。」崔護的「桃花依舊笑東風。」……。這些詩中雖是話中有話，但最難能可貴的是，作者對於身邊的一草一樹、一花一鳥，均能感受到它們的有情有意、有愛有憐，這是作家敏感心所爲。所以敏感心也拓寬了創作的空間，使之無限的長闊高深。

改變我們對事物的看法和想法，才是畫家培養敏感心的當務之急。這裡有以下引兩段深入淺出的話，值得繪畫家深思：

「我們的眼，平時容易沉溺在塵世的下層，固著在物質的細部，不能望見高超於塵俗物質之表的藝術。必須提神到太虛而俯瞰萬物；換言之，用您智慧之眼，窺探人生的、自然的另一面，才能看見『藝術』的眞面目。何謂超於塵俗物質之表？就繪畫而論，作畫時，把眼前的森羅萬象當作是大自然的一幅繪畫。而絕不想起其他各種事物對於人的效用與關係。畫家的頭腦是『全新』的，絲毫不沾染一點世俗的陳見，畫家的眼是『純潔』的，毫不蒙受一點世智的翳障。所以畫家作畫的時候，眼前所見的是一片全然不知名、全無使用，而且莊嚴燦爛的全新世界。這就是美的世界，山是屏，川是帶，不是地理上的交通現象；樹是裝飾，不是果實或木材的來源；房屋是玩具，不是人類的居處；田野是大地的衣襟，不是五穀的產地；路是地的靜脈管，不是供人來往的道路；其間人們來往的種種動作，都是演戲或遊戲，全然沒有目的；牛、羊、雞、犬、汽車、飛機等都是大自然的點綴，不是生產的畜牧，或戰場上的武器；有了這樣的眼光與心境，方能看見『造形美』的姿態。所以藝術繪畫中的兩個蘋果，不是我們這世間的蘋果，不是甜的蘋果，也不是十幾塊錢一個的蘋果，而是蘋果自己的蘋果。繪畫中的裸體模特兒，不是這世間的風俗習慣、道德的羈絆之下的一個女人，而是一種造型的現象。」

「原來宇宙萬物，各有其自己獨立的意義。當初並不是爲吾人而生，世間的一切規則、習慣，都是人爲了生活方便而造出來的。美秀的田苗招展在陽光之下，分明自有其生的使命，何嘗是供人充飢的？玲瓏而潔白的山羊、白兔點綴在青草地上，分明是好生、好美之神的手法，何嘗是供人殺食的呢？草屋煙囪裡的青烟，自己在表現它自己的輕妙姿態，又何嘗是炊飯偶然的結果？池塘裡的樓台倒影自成一種美麗的現象，何嘗只是反映的物理作用呢？聰明的友人，悟到了這一點，即可窺見藝術之美世界的門戶了，即能享受自然與鑑賞藝術了。……所以練習繪畫不是練習手腕，而是練習眼光與心靈，因此看畫不僅是用肉眼，又須用心眼。」（註五五）

由上得知，畫家的眼與心是如此的異於世人。其看人不是人，看物不是物，全是畫家可以任意擺布的素材，又可變其形色，更可變其意義與價值，像戲劇中的道具，小孩子手中的積木和洋娃娃；忽變城，忽成河，忽變人及狗，全無意義亦無邏輯、無次序、無定法，只留下惟我獨尊和大而無邊的自由。以上講得雖是詳盡、細膩，但還需畫家異想天開的能舉一反三，確實，若有如此觀念才能有敏感的畫心。至於要將你畫的大地或世界，全然當作不知名的新東西，正如直覺權威家克羅齊說到一個六歲孩子的傑作，「孩子們之所以能帶給我們大量精神上的快樂，全在於這種把世界看成全新事物的能力。憑著這種能力，使我們重感世界的新鮮與趣味。」（註五六）全在於這種把世界看成全新事物的能力。當看爲全新時，你敏銳的心靈就開始作工了。但下邊緊接著說：「只可惜一般人開始接受教育，便把這種原始的感受力和表現力喪失掉。」（註五七）爲什麼教育會使感受和表現的敏感心喪失呢？因經教育之後就知道太多了，使心不單純了，凡事物都得分析、考慮現實、使用，以至於分心，所以心對事物之感就不敏了，心不敏則對於事物的看法會和一般人一樣平凡無奇，當然更談不上能創作了。所以心要像不懂事的孩子，在天不怕地不怕傻楞楞的心境之下，敏心才會出現。

人本是理性、感性、意志三者合一的結合體，而藝術家所需要的卻只是感性，所以當畫家時所用的心路，不得不撇掉常人所有的理智、意志二路，而直導向於感性之途。因此有時畫家在別人眼目中被看爲傻傻的、怪怪的，甚至眞似陰陽怪氣的瘋子。其實，正是他的心路已在趨於純情的創作道上馳奔！當畫家的心已走上純情的道路時，看他的心在敏些什麼？又感些什麼？這才是應當學習的重點。

第六節　想像力

想像是藝術家在創作前的一種心理活動，此心理活動包含有理性的、秩序的，也包含非理性的、純感性的，甚至自我情緒之外不為人所了解的狂性。藝術創作就是靠這非尋常的心理活動力，來開拓創作元素和創作空間的。想像力愈強，創作則愈精深與寬廣，反之，創作則形成軟弱、平凡，以至於根本就無創作。想像對創造方面的重要正如朱光潛所說：「凡是藝術創造都是平常材料的不平常綜合。創造的『想像』就是這種綜合作用所必須的心靈活動。」（註五八）想像力能使繪畫平常材料，轉換為不平常的新形象，想像力就是畫家的神眼神力。而在中國早先藝術繪畫中尤屬想像力代表的論述者，則是東晉顧愷之所謂的「遷想妙得」。「遷想」即是想像，「妙得」即由於想象才得到對像的本質和對象之神。姚一葦在《藝術的奧秘》書中也說：「任何一件藝術品必須是一件創造品，因為它通過了藝術家想像的緣故。所謂想像在此不只是意象的召回或經驗的再現，它包含了藝術家個人的遠為複雜而深邃的心靈作用，此種心靈作用，一般人稱之為『創造的想像』（Creative imagination）。因此想像力乃是一個藝術家必須具備的最基本能力。蓋一個藝術家對於他所企圖表現的事物必先具有一個完整的想像，然後才能將這一想像表現出來。所以想像在先，表現在後。沒有想像或缺乏想像力的，最多只能算是一個工匠。」（註五九）想像是藝術家一種心靈活動，它在創作上扮演著重要而不可缺少的角色，所以「想像」的心靈能力是凡為創作的藝術家所必須具備的。

因為藝術家的創造，雖多是主觀的感性的，但絕非是病態心理的胡思亂想或任意的堆砌，它必須經過畫家理性的，智慧的取捨、剪裁、組合，整理成藝術美的新形式，所以想像活動，雖是自由的、感性的，但其中必須帶有適當的理性、秩序、知識與經驗。正如《藝術的奧祕》一書對想像之作用所說：「它的表現是一種有組織的設計，將一些平凡、膚淺、人人所知的現象轉變爲一種美妙的、神奇的事物，是化腐朽爲神奇的工作！故一個藝術家的想像力係指如何結合這些平凡、生糙資料的能力，創造一個全新的境界。」（註六〇）

每個人的藝術想像力和對外物的感應力是不同的，所以一個作家在平日就要注意培養自己的藝術想像力和感應力。培養的方法劉勰認爲是：「積學以儲寶，酌理以富才，研閱以窮照，馴致以繹辭。」（註六一）其意義是積知識，增才能，細觀察，練言辭。以上四者一個都不能缺，至於練言辭一項，對水墨山水畫家而言，當是鍛鍊自己的繪畫技術，如用筆、運墨，各種皴法、佈局、虛實、主賓、透視、敷彩、點景、取捨、剛柔等基本能力。

劉勰又特別強調作家在進行藝術想像，首先應該有一個「虛靜」的精神狀態。他說：「是以陶鈞文思，貴在虛靜；疏瀹五藏，澡雪精神。」（註六二）爲什麼要保持『虛靜』？葉朗說：「因爲藝術想像活動需要人的生理方面和心理方面的全部力量支持，也就是說，需要『氣』的支持。只有保持虛靜，『澡雪精神』，才能使人自身的『氣』得到調暢。『澡雪精神』，有人翻譯爲『集中精神』，這個翻譯不很確切。『澡雪精神』不僅有集中精神的意思，而且還有使人的精神狀態保持新鮮、飽滿等意思。這其實就是『養氣』。劉勰在《養氣》篇說：『清和其心，調暢其氣，煩而即捨，勿使壅滯，意得則舒懷以命筆，理伏則投筆以卷懷……。』『氣』要新銳，要氣足神旺，才能有活躍的藝術想像活動。這就需要『虛靜』。」（註六三）

想像力對創作是非常重要的，而能擁有想像力的藝術創作家，先要有自由的心志，熱情奔放，將世界人間事丟到雲霄之外，大膽的發揮想像力，勇敢的去夢想、幻想。去想別人所不敢想的，想古今藝術家所未曾想過的，勇敢到將生死置之度外，若能夠如此的『敢想』，才有創作的空間，才會創人家所未曾創作的藝術品。思想既然要飛就讓它飛得眞高，眞解放，眞自由。自由到敢說：『我自己才是眞奇士，眞天才，眞有創作的靈感。』換言之，不要壓抑創作時的「自大」和「自信」，讓夢想、幻想更能飛。

總之，想像心是感性中帶有秩序、飛翔中卻有行道，夢想、幻想、狂怒、熱情、奔放後有冷靜的歸納。想像力是創作的動力，源泉或稱空間。若沒想像即全變成了現實的呈現、歷史紀錄、科學的公式，藝術絲毫無法存在了。

【註釋】

註一：謝冰瑩、李鍌等，「新譯四書讀本」（台北市：三民書局，一九八七年八月初版，一九九〇年三月修訂三版），頁二〇六、五一〇、一九四。

註二：唐君毅，「中國人文精神之發展」（台北市：台灣學生書局，一九七九年三月五版），頁一三二—一三三。

註三：托爾斯泰，耿濟之譯，「藝術論」（台北市：地平線出版社，一九七〇年八月初版），頁三四—三五。

註　四：同註三，頁四二。
註　五：虞君質，「藝術概論」（台北市：大中國圖書公司，一九六八年五月初版），頁二六一。
註　六：同註三，頁二一九。
註　七：同註三，頁二〇五—二〇六。
註　八：同註三，頁二二一—二二三。
註　九：「繪畫與文學」（台北市：台灣開明書店，一九五九年三月台一版，一九六八年四月台二版），頁二五。
註一〇：「談美」（台北市：台灣開明書局，一九五八年八月台一版，一九七一年十月重四版發行），頁二七。
註一一：同註一〇，頁三二。
註一二：藝術家編委會，「藝術家」（台北市：藝術家雜誌社，第三三卷第二期），頁三三八。
註一三：喬治·森塔亞納著，王濟昌譯「森塔亞納美學箋註」，（台北市：金楓出版公司），頁二〇八。
註一四：潘天壽，「潘天壽談藝錄」（台北市：丹青圖書公司，一九八七年一月台一版），頁五九。
註一五：羅丹口述，葛賽爾筆記「羅丹藝術論」（台北市：雄獅圖書公司，一九八三年五月），頁一二。
註一六：同註一四，頁二二七。
註一七：同註一四，頁二二七—二二八。
註一八：同註一四，頁二一九。
註一九：李可染，「李可染畫論」（台北市：丹青圖書有限公司，丹青文庫二二，輯者王琢，後記寫於一九八一年三月），頁一四一—一六。

註二〇：同註一九，頁一五八。

註二一：鄭昶，「中國畫學全史」（台北市：台灣中華書局，一九五九年十二月台一版），頁九三、一〇三。

註二二：俞崑，「中國繪畫史」（台北市：華正書局，一九七五年九月台一版），頁一四六。

註二三：同註二二，頁一四九。

註二四：同註二一，頁二九三。

註二五：同註一九，頁三七。

註二六：同註一九，頁二九。

註二七：畢卡索等著，呂晴夫編譯，「畢卡索藝術的秘密」，（台北市：志文出版社，一九七五年九月再版」，頁九五。

註二八：同註二七，頁七八。

註二九：同註二八，頁八九，頁九五。

註三〇：葉燮，「原詩（內篇）」，轉錄葉朗撰「中國美學史大綱」（台北市：滄浪出版社，一九八六年九月初版），頁五〇九。葉燮（一六二七—一七〇三），字昆期，號己畦。浙江嘉興人。康熙九年進士。康熙十四年任江蘇寶應知縣，不二年被罷官，歸居橫山講學。學者稱橫山先生。著作有「原詩」，「已畦集」、「文集」十卷，「詩集」十卷，「殘餘」一卷，「汪文摘謬」，「已畦瑣語」等。同書，頁四八八。

註三一：虞君質，「藝苑春秋」（台北市：文星書店，一九六六年十一月廿五日），頁三〇—三一。
註三二：同註一五，頁一二—一三。
註三三：同註二一，頁一五五。
註三四：同註二一，頁一六〇。
註三五：同註二一，頁一八二。
註三六：同註三一，頁三二。
註三七：同註三〇，頁五〇九。
註三八：莊子，庚桑楚轉錄同於徐復觀，「中國藝術精神」（台北市：台灣學生書局，一九六六年二月初版，一九七九年九月六日六版），頁八一。
註三九：莊子，天道篇，轉錄自陳鼓應註譯「莊子今註今譯」上冊（台北市：台灣商務印書館，一九七五年十二月初版，一九九二年十月十一次印刷），頁三七一。
註四〇：同註三九，頁三七三。
註四一：同註三九，頁八〇。
註四二：圓賴三，「美的探求」，頁一二一—一二二，同註三八，頁八七。
註四三：林興宅，「藝術魅力的探尋」（台北市：台灣谷風出版社，一九八七年五月出版），頁二九。
註四四：「談文學」（台北市：台灣開明書店，一九五八年六月台一版，一九七二年三月台九版），頁一七四。

註四五：清朝王昱，「東莊論畫」，中國畫論類編（台北市：河洛出版社，一九七五年五月初版），頁一八九。

註四六：朱光潛，「文藝心理學」（台北市：大夏出版社，一九九一年十二月初版），頁三五。

註四七：同註四四，頁一七六。

註四八：同註三〇，頁二三六。

註四九：同註一四，頁八八。

註五〇：同註一四，頁九〇—九一。

註五一：同註四五，頁一八八。

註五二：孫子威，「情人眼裡出西施—美的沉思」（台北市：丹青圖書有限公司，一九八七年六月十五日初版），頁五三。

註五三：同註五二，頁四七。

註五四：同註五二，頁五三。

註五五：「藝術趣味」（台北市：台灣開明書店），一九六〇年四月台一版，一九八二年九月台九版），頁二七—二八。

註五六：劉文潭，「現代美學」（台北市：台灣商務印書館，一九六七年初版，一九七五年十月五版），頁六一。

註五七：同註五六，頁六一。

註五八：朱光潛，「文藝心理學」（台北市：開明書店，一九六九年十二月重一版，一九九三年二月新排三版），頁一九七。

註五九：姚一葦，「藝術的奧秘」（台北市：台灣開明書店，一九六八年二月初版，一九七一年十一月三版），

頁二〇。

註六〇：同註五九，頁三六—三七。

註六一：同註三〇，上冊，頁二三七。

註六二：同註三〇，上冊，頁二三六。

註六三：同註三〇，上冊，頁二三六。

第六章　水墨山水畫創作之物源挹取

水墨山水畫是視覺藝術，不論畫出的是什麼，是具象或抽象，總得是能看見的東西，而不是聽的或聞的，因之畫的素材就必須藉助於宇宙的萬象萬物如山川樹木等。宇宙大地雖已氣象萬千，又自然萬物多得不勝枚舉，畫家素材已用之不竭，但是並非任何人都能俯拾即得，也不是任何事物都能入畫，祇有那具有藝術心的畫家，才能看到，並拾到可入畫的事物與萬象。同樣重要的是，每一位有藝術心的水墨山水畫家，又當用什麼方法或時機，取用物源或藉外物的啓發和誘導而能創作出上等的水墨山水畫品？其方法如：從讀萬卷書中得啓示和靈感，正如杜甫所說讀書破萬卷下筆如有神的創作源頭。從行千里路中見新奇景色，得新的感動而激發創作。從讀畫冊看畫展中，得激盪啓示與產生創作之心。由中西畫的創作理念中，取其長捨其短，自然的融會，生自在的畫品。這些諸多創作方法，卻都得是藉著心源之外的物質媒體的啓發而成，所以本章命題爲物源挹取。

第一節　讀萬卷書行千里路

許多人都讚同畫家行千里路，觀察萬物，對於畫的創作絕對是必要的；尤其是山水畫，更不能閉門造車。但對於畫畫的人，要讀萬卷書，那看法就不一了。若是為了寫文章或作詩詞多讀點書，是理所當然的事，而畫畫的人，祇要終日作畫，何需將時間浪費在讀書上呢？殊不知繪畫並不是單單的一件技術，並不是祇要依樣畫葫蘆，又不是無根無據無道理的。當然，若是有人蓄意為怪而作怪，或為新而作「狂怪之新」，在這良莠不齊的情況下，畫出許多無知的新與怪的畫是有的。但若眞為繪畫而埋頭苦幹，又以浪得虛名為恥，腰纏累累為辱的眞畫家，就不如此了。因為繪畫藝術是門高深的學問，畫畫的人必須是畫家，又不能是純畫匠，畫匠可以祇看畫法的書，而畫家除學畫法外，還非讀萬卷書不可。

杜甫說，讀書破萬卷，下筆如有神。其意義是說，若你讀破了萬卷書，下筆的流暢就有如神助一般的輕鬆。其重要性之大，正如莫是龍說：「不行萬里路，不讀萬卷書，欲作畫祖，其可得乎？」（註一）又如明朝董其昌在《畫禪室隨筆》中所說：「讀萬卷書，行萬里路，胸中脫去塵濁，自然邱壑內營，成立鄞鄂，隨手寫生，皆為山水傳神矣。」（註二）唐岱也說：「畫學高深廣大，變化幽微，天時人事，地理物態，無不備焉。古人天資穎悟，識見宏遠，於書無所不讀，於理無所不通，斯得畫中三昧。……胸中具上下千古之思，腕下具縱橫萬里之勢。立身畫外，存心畫中，潑墨揮毫，皆成天趣。讀書之功，焉可少哉！」（註三）畫家的讀書全是為了創作，可說讀書是繪畫之源。因為多讀書，能增添胸中邱壑，能看到山之靈秀，識破造化之奧秘。正如明朝李日華所說：「繪畫必須多讀書，讀書多，見古今事變多，不狃狹劣見聞，自然胸次廓徹，山川靈奇，透入性地時一灑落，何患不臻妙境？子瞻雄才大略，終日讀書，終日譚道，論天下事。元章終日弄奇石古物。與可亦博雅嗜古，工作篆隸，非區區習繪事者。止因胸次高朗，涵浸古人道趣多，山川靈秀百物之妙，乘其傲兀恣肆時，咸來湊其丹府，有觸即爾迸出，如石中爆光，豈有意取奇哉！」（註四）同樣，明朝范允臨更舉例說：「宋元諸名家，如荊、關、董、范，下逮子久、叔明、巨然、子昂，矩法森然，畫家之宗工巨匠也。此皆胸中有書，故能自具邱壑。」（註五）

讀書是畫家心的一種滋養和維護，畫家的藝術心甚為寶貝，在前章《心源整合》裡已談過，但仍需在世界名畫家的傳記、創作心路或勵志於畫的積極思想書類中時時鼓勵之，千萬要防止偏離畫家正道，而不被世俗名利、虛榮、貧困、疾病等引誘，將當初胸懷大志的畫家純潔心給盜去了，所以必須多讀書來保護畫家的藝術心。讀書更能充實畫家的見地，增進知識智慧，豐富想像力、觀察力，與培養靈感，以便清理頭腦，立定創作方位。讀書，又是行千里路的畫家一種必要的預備工作。若是無法讀書中得到繪畫創作的知識、智慧、能力和眼力，即使是行萬里路，又能看見些什麼？又能感受些什麼？恐怕衹會變成視而不見，觸而未覺的普通觀光客，一事無成吧！如此豈不徒然浪費時間與金錢！

古今中外書如瀚海，又從何讀起。書類本當無所範疇，凡與水墨山水畫創作有關，而又能引發創作思維的書，都當閱讀品味之。但讀書的重點又先得放在，水墨山水繪畫創作方面最接近的書籍，除詩文外，如中外畫史、畫論、美學，及哲學類書。在清朝唐岱的《繪事發微》中將該讀的書已名列如下：「如唐朝王右丞《山水訣》，荊浩《山水賦》，宋朝李成《山水訣》，郭熙《山水訓》，郭思《山水論》，宣和畫譜，名畫記，名畫錄，圖繪、宗彝，畫苑、畫史會要，畫法大成，不下數十種，一皆句詁字訓，朝覽夕誦，浩浩焉，洋洋焉，聰明日生，筆墨日靈矣。」（註六）

為了建立心靈中的邱壑，如張夢機說：「當然我們可以從哲理中解悟，可以從藝術中體會，自然也可從優美的詩文中涵詠。我們肯多讀一些優美的文學作品，受到作者心靈的感染，漸漸地也就能開拓我們心靈的空間。同時也建立心靈中的邱壑，如我們讀《敕勒歌》：『天蒼蒼，野茫茫，風吹草低見牛羊。』可以領略北國一望無垠的草原風光。讀陸游的『小樓一夜聽春雨，深巷明朝賣杏花』，可以低迴詩人在杭州的那份雅趣。讀韋莊的『春水碧於天，畫船聽雨眠。』可以分享詩人在四川的那份閒情。」（註七）中國水墨山水與詩詞最接近，所以說，「詩中有畫，畫中有詩」，所以多讀詩書，實在能多增胸中邱壑。這僅是列舉唐宋和今人諸家畫論，而早期的畫論仍該多讀，例如讀晉朝顧愷之的《魏晉勝流畫質》，其中的「以形為神」，和「遷想妙得」的創作理論，豈不是當今水墨山水畫家，應當深思研究與繼續發展創作的嗎？又明末石濤的《畫語錄》也不是充滿著創作之源的金礦，正等著開發與繼續創作嗎？多不勝枚舉。在哲學方面，如老、莊思想中的繪畫精神，以至於如宋朝程明道的詩曰：「心通天地有形外，思入風雲變化中！」這不已是啓示了繪畫的體裁與思想了嗎？他的啓示是說體裁和形象早就不限於天地有形之內，應該可飛到天地有形外的無形了。從書中可以發現許多尚待繼續創作的理論與創作空間，實為可貴。中國書籍該當讀，而西洋的畫類更應讀。

遠者不論，就如在「行千里路中的觀察之眼，和寫生的能力」爲範圍，試讀一點李可染的理論著作，可作一實驗爲例，如李可染說：「創作要仔細看景，看景要認眞分析。一個有繪畫經驗的人，眼前千岩萬壑，變化萬千，也能分清那是主要的，那是次要的；那些是要強調，那些是該減弱。最精彩的部分要先畫，最重要的部分要放在整個畫面最顯著的地方。最精彩的，最主要的部分，就要竭盡全力去盡量發揮。如果先畫了次要的，那最精彩的部分就要受到牽制。」（註八）此時，就會反省自己所畫的：主賓分明嗎？主題能顯現，或不惜誇張與虛構嗎？是否在取捨不決，或將細枝末節畫得太精巧，遮掩了主題的震撼，忘卻了虛的重要性，而使得全幅成爲支離破碎，甜而不醇的下下品了呢？相信讀書對每位畫者都是同等的重要。

李可染又說：「一個有經驗的畫家，寫生的時候，不一定用鉛筆打稿，而他的畫面往往能處理得恰到好處。關鍵在於把主要的和次要的先畫在妥善的部位，就像釘了幾個釘子，然後把不太重要的部分接連上去，就形成一個整體的構圖。五代山水畫家荊浩在他的畫論《筆法記》中提出：『觀者先看氣象，後辨清濁，定賓主之朝揖，列群山之威儀。』體會到這是對山水寫生的基本要求。」（註九）以上是李可染的再強調，在寫生時對主賓如何安排、設計、立定等方法之敘述，接著也看到李可染受到荊浩「看氣象，定賓主」影響之深了，他說：「我體會這是對山水寫生的基本要求。」對於主賓方面禁不住的又讀下去，他又說：「我以前畫過一個瀑布，瀑布是主體，是第一位；亭子是第二位的；樹是第三位的；岩石、灌木是第四位的等等，從明暗關係講，瀑布最亮，亭子次之，然後才是樹、岩石，按一、二、三、四排下去，明暗層次很清楚，如果在岩石部分留出空白，就會使主題瀑布不突出。爲了突出主題，次亮就要壓下去，色階不亂，層次分明，整體感強，主體就明顯突出。」（註一〇）經由讀這小小片段，對主賓次層，整體以色階使用，重新加強認識並且創作或寫生時的創作就會不忘實踐了。

再談一處山水畫法：「山以水爲血脈，以草木爲毛髮，以煙雲爲神彩。故山得水而活，得草木而華，得煙雲而秀媚。水以山爲面，以亭榭爲眉目，以漁釣爲精神。……山無雲則不秀，無水則不媚，無道路則不活，無林木則不生，無深遠則淺，無平遠則近，無高遠則下。……山欲高，盡出則不高，煙霞鎖其腰，則高矣。水欲遠，盡出之則不遠，掩映斷其流，則遠矣……。」（註一一）這並非是意境畫論，僅是山水畫法的一小部，然而對於面對眞山眞水寫生的畫人，不得不牢記在心，因爲有時山腰並無雲，因山高必須加雲，例如中國大陸的部分高山並無樹木，全是禿山，但爲了山的生氣，又不能不加樹木，以及路遠山長的畫法不得不山遮雲斷的加工了，藝術是畫家的加工，加工要有加工的道理，這就要靠多知曉多讀古今中外之畫理畫論的必要性了！

由上得知，多讀書，熟畫理，對創作確實重要。但還有部分畫家尙未透知，而忽略或誤解，因此特別舉例論述之，作爲借鏡並勉之。例如虞君質在《藝苑精華》上說：「藝術有創作，有鑑賞，就有理論。倘若我們承認所謂『知難行易』是一種可貴的眞理，則有關藝術理論的研究，自然大有裨益於藝術的鑑賞與創作。」又說：「我所深爲不解的，近年有些從事藝術工作的人，對於理論表示了極端的淡漠與忽視。前些時有一位當代所謂『大導演』，被人邀去作學術演講，他的劈頭一段話就說：『我是不懂理論的，我有我的豐富的經驗。試想我若再弄理論，教那些專搞理論的人還吃什麼呢？』這話說得粗俗而愚蠢，眞是百分之百的胡言亂語！另有一位當代『名畫家』，對他自己班上的學生說道：『古來的大畫家都是不懂理論的，理論是那些沒有創作天才的人去弄的！』

又說道：『他說這話的時候，可惜不曾心平氣和的想一想：謝赫爲什麼寫下了《六法》？石濤爲什麼寫下了《畫語錄》？達文西爲什麼寫下了《談藝》？托爾斯泰爲什麼寫下了《什麼是藝術》？就是西班牙的畢卡索，也是一位擅長創作而兼理論的大畫家了。』（註一二）殊不知若是既會畫又懂理論，那豈不就更深入，更貼切了嗎！若眞的畫畫的名家，是不可以不明白畫理畫論的；若不知，他將畫什麼呢？創作的生命又能多少呢？其實，理論才是繪畫創作的先導。

行千里路的目的是讓畫家遊遍千山萬水，親察大地的全貌，看到變化與表情，與它溝通、話語、結誼、交融而合一。誠如莊子在《齊物論》中所言：「天地與我並生，而萬物與我爲一。」《有宥》裡也說：「吾與日月參光，吾與天地爲常。」《山木論》中又道：「人與天，一也。」《孟子・盡心篇》云：「萬物皆備於我矣，反身而誠，樂莫大焉。萬物與我合一，以誠相待，眞情相約，物我兩忘，豈不樂乎。」孟子又說：「夫君之所遇者化，所存者神，下上與天地同流，豈曰小補之哉？」又深知山水畫是中國畫的正宗，而山水畫的描寫與創作的畫家，必須如上所言，觀察、親近、誠意、合一，樂在其中，自然而然的得其神了。《藝苑精華錄》書中說：「宋朝有位宗室畫家趙大年，畫山水雖能極盡秀逸瀟灑之致，但除水村小景而外，絕少有深山大壑的描寫批評家說：他以宗室弟子，養尊處優，生平不作遠遊，缺乏周覽名山大川之經驗，故凡有所作往往秀麗有餘而雄偉不足，說穿了也就是缺乏遊覽的體驗所致。」（註一三）明朝無名氏《畫山水歌》：「腳根踏盡四海五湖，心中方有千崖萬壑。」（註一四）明朝李式玉也說：「僕嘗執筆寫作畫，若不成家……然多雷同而少變化，其丘壑佈置，千幅如一。此由遊涉未遠，足不登奇山水。」（註一五）可見遊歷、觀察眞山眞水對一位從事山水畫創作的畫家而言，是極爲重要的。換言之，爲了水墨山水畫的前途，又爲了畫家眞名份，行萬里路，飽覽群山，是必然的條件了。

明朝李日華在《論山水》中曰：「米南宮多遊江湖，每卜居必擇山水明秀，松柏茂密處。其初本不能作畫，以目所見，日漸摹倣，遂得天趣！」（註一六）由此可見米南宮的成名是得之於多遊名山大川，多觀多摩（寫生）而得來的。

藝苑精華錄亦云：「遊覽有二要件，一是遊得『久』，二是遊得『細』。古人說春山澹冶而如笑，夏山蒼翠而如滴，秋山明淨而如裡，冬山慘淡而如睡云，把四時的山容體驗得如此深刻，完全是遊得『細』的緣故。至於遊得久，可看袁宏道的《西湖詩》，他說：『一日湖上行，一日湖上坐，一日湖上住，一日湖上臥。』把同一山色湖光分作行、住、坐、臥四天去欣賞，這要不惜花費功夫作『久』遊才能辦到。」（註一七）這種行千里路飽覽遨遊中的要件：遊得久、遊得細，古人已如是，今人必然得跟進才可。古人如前已說，米南宮多遊江湖，又唐代王維是隱居在輞川山中。這都是山水畫家遊得久的說明。看得細方面，要以黃子久爲最了。又如李日華《論畫山水》中曰：「陳郡丞嘗謂余言：『黃子久終日祇在荒山亂石叢木深篠中坐，意態忽忽，人不測其爲何。又每往泖中通海處看急流轟浪，雖風雨驟至，水怪悲詫而不顧。』噫！此大痴之筆，所以沈鬱變化，幾與造化爭神奇哉。」(註一八) 大名家黃公望坐在荒山深水旁，雖是狂風暴雨，也不覺察，這種入神忘我，專一察看之心，豈能說不細不深嗎？

再者，今日交通方便，旅遊業發達，更有助於行千里路之所願。行路千里，除了要遍覽山川外，又可看到宇宙不同氣候下的山川奇景新象，這異地風俗人情之殊異，眼前全然新景象，使得接應不暇，嘆爲觀止。凡此種種的新氣象新刺激，必然會使畫家耳目一新，感興交集，靈感萬千了。同樣重要的是，到歐美、羅馬、冰島、北極、日本、韓國、中國大陸，或法國巴黎等等，更能看到古今、中西陳列在各大博物館中的各派別、各風貌，多種類的名畫，可以靜觀，又可以請導遊者細細的說明介紹。從中品味、觀覽、學習與激勵，更是行千里路，能得新創作的最好說明了。

總之，山水畫家讀萬卷書，是爲了增進創作的智慧。行千里路，同樣也是爲了創作。而所遊歷的路程之多之遙，又是爲了拓寬畫境的領域，並得到新奇的刺激，增加創作的速度。同時讀書也是行千里路之前，必須具備的觀察能力。所以「讀萬卷書，行千里路」，雖是古訓，卻是山水畫家必須遵守的新律。

第二節　讀畫與看畫

一般人都說讀書，很少人說讀畫，因爲人人皆知，書是可以讀的，然而畫以同樣的方式也可以讀。讀書是爲學習書中道理，以豐富我們的知識與能力。讀畫亦可得到畫畫的知識、能力，並能探得畫中眞理與奧秘。例如王原祁所說：「臨畫不如看畫，遇古人眞本，向上研求，視其定意若何？結構若何？出入若何？偏正若何？安放若何？用筆若何？積墨如何？必於我有一出頭地處，久之自與脗合矣。」（註一九）松年說：「多讀古人名畫，如詩文多讀名大家之作，融貫我胸，其文暗有神助，畫境正復相似，腹中成稿富庶，臨局亦暗有神助。」（註二〇）其次更可以無牽無掛的心，純粹欣賞繪畫，享受畫中樂趣，深思其中的含意，也如同讀文學與詩詞，以及欣賞音樂與歌劇，其樂無窮。「讀畫」則是看畫展畫冊，聽講演或學術會等。古時，愛畫而又想去讀畫的人，可比現在人難多了。一因畫源太少，二因交通不便，所以若要想讀畫，除非自家典藏，否則非到藏畫的好友家中去看不可了，兩者都不方便，而且私人典藏的數目實在有限，所以古字古畫甚是不容易看見。然今日交通方便，印刷業發達，圖書館藏書多又可隨時開放；而國內國外博物館，畫廊更是林立，甚至幻燈片、畫冊都是精製而美好，應有盡有。那麼這樣多而好的資料和資訊，我們該如何享用呢？其一，勤奮專心的讀畫：每日像讀書一樣，靜靜的，專心的，一幅一幅的讀，讀它的佈局、層次、筆情、墨韻、虛實、氣勢、雄秀、氣韻、色彩、空靈、純樸與意味，養成與畫品間建立一種無聲的語言，在畫的世界裡，互訴衷情，互通心聲。常此下去，認識畫，深懂畫，讀畫，背畫與創作畫，永不間斷。讀書如此，讀畫亦當如此，在此特別說明的是讀書人得先識字，讀畫人也得先學技術。

其二讀畫要以分門別類的細讀。以水墨山水畫論，就要按著朝代次序，及畫家出生的早晚排列閱讀之，如此可以讀出時代的背景，畫家的風格與其創作的走向。目前最好的莫如今日美術館或畫廊的名畫家個展了，因爲每幅畫都可以仔細的品味，直到有了心得爲止。又加上專題名家的研究講座，再經過一番的分析和研究，更能將此畫深刻的讀進心中，又可讀出那些尙未畫出來的理論空間，也可讀出畫家的缺點。如此可從中獲得畫家與畫品中的能力與智慧，其缺點又可以爲前車之鑑。更可貴的是畫家尙未畫出的心願，今人可以接續拓展下去，這才是繪畫藝術生命延續的好方法。

一個畫家生命最長不過百年，當他想將畫路再突破時，已無時間及心力了，所以後人必須將其智慧和他將發展的潛力接續發展下去，如此畫的生命才會燦爛創新又不重複。

讀和看的水墨山水畫家，不能不讀或看其他類的畫，如各派各類的油畫、水彩、人物或花卉以及設計、裝飾圖案等等。因藝術的意念是相通的，雖不是水墨山水畫，但對水墨山水畫的創作卻有很大的啓示作用，若能夠大量包容和吸收，水墨山水畫的內涵就會更遠闊且高深了。

畫冊與畫展，都是畫家他人的智慧產業，讀畫看畫就是借用他人的智慧財產，可啓示和教導個人的繪畫事業前途了。例如當代旅法畫家趙無極（註二一），早年他去巴黎之後，他就一直到各大博物館看畫。他說：「一九四八年四月一日下午抵達巴黎之後，就急切的趕往羅浮宮，……。在以後的一年半中，每天下午，我都去參觀美術館或展覽，……。我很用心的看，可以在一幅畫前看幾天。」

趙無極又說：「要作畫，必須了解別人的畫，我一直想抓住最重要的，了解畫家的意圖，研究線、點，如何在錯綜複雜中構成一幅畫。」、「……當看到野獸派著實讓我大吃一驚！它的空間完全是由顏色的處理中產生的，色彩純淨，且用得強烈、粗野。至於立體派更使我傻了眼，它解析動作、分割平面，解構了空間。我從不知道空間可以如此豐富，繪畫可以如此表現多度次元，眞眞不可思議！」（註二三）

在他這「大吃一驚」和「眞眞不可思議！」裡，看到了色彩和空間感，他現在的作品中仍然有好的空間感，並且在許多時候他專心的追求空間，由此可知看展覽對畫家啓示的重要了。他還不止於此，在展覽場學習甚多，趙無極又說：「一九五一年雅柯美提（N. Jacometti）在柏恩和日內瓦展覽場去參觀，也第一次見到克利（Paul Klee，一八七九－一九四〇）的畫，他的畫，讓我又想起米修說的：『一組符號』」。「我花好幾小時來觀察這些小小的，長方形的色彩，間雜著線條和符號，我爲他運筆的自由和畫面洋溢的輕盈靈動的詩意震住了。小小的畫面因他善於營造空間而顯得遼闊無比，我竟然不知道這個畫家！他對中國繪畫的了解和喜愛是很明顯的，從這繪在多重空間的小小符號中，誕生了一個世界，令我目爲之眩！我不知如何描述我的感覺，我在美術館中徘徊流連數小時不倦，來回繞著一遍又一遍地看這些畫，想參出其中的奧妙。他使物象轉變成符號！西洋畫－我眼前這幅就是個純粹的例子－竟使用了一種我熟悉的觀察方式，而這種方式曾使我覺得受縛。我經歷了一段大混亂，但等我回到畫室，我的畫似乎更清晰的畫出來了，我應該朝克利爲我指引的路走去。但這不是件簡單的事。克利的世界與衆不同，充滿詩意，見人所未見，它是一座橋樑，通向一個我尋找的世界，但我把它當成找到另一條路的捷徑」。（註二三）

從趙無極的參觀展覽品的經驗中可看到他對看畫學習的認眞精神，能看出心得，找出條理，並當作「找到另一條路的捷徑。」這全是創作者的心路歷程，學習、啓示、變化，再修正與再學習。他又從別人自傳中，看到每位畫家成功背後，都有辛酸、失敗和沮喪，以此可以激勵自己的再奮發！如他說：「當賈可柏給我看他自傳的手稿時，我在其中的某些篇章裡，找到我在這時期的感受。我也曾經歷過他所描寫的那種遍尋不著的焦躁、不耐。有時，前一日的成果，第二天卻瓦解了，那種失望、疲倦也是我熟悉的，但也跟他一樣，我心中有股不可動搖的力量，沒有任何事能使我放棄，挫折有多大，克服的歡欣也就多大，我有的是頑強的鬥志！」（註二四）

再看畢卡索創作的心路歷程上，因看到別人的畫展，而對他在創作上的影響，據畢卡索《藝術的秘密》中說：「一九〇五年……秋季沙龍特別展出塞尙的十幅作品。一九〇七年，又有塞尙的回顧展，展出五十六幅，使畢卡索深受感動。另一方面，給予畢卡索新刺激的是一九〇六年春，羅浮宮展出的古代伊伯利亞（Iberia）雕刻，這是當時的新發現。原來畢卡索和野獸派群的畫家個性不同，他把形態看得比色彩重要，他最關心的是造形問題，因此，在他看到伊伯利亞雕刻之時，立刻對於那種樸素單純的充實感大爲驚嘆，在他給塞爾勃斯（Zervns）的信中曾提過，『阿維尼詠的少女們』是從這種雕刻中得到靈感的。還有非洲的黑人雕刻給畢卡索的刺激也是不能忽略的，一九〇七年，畢卡索在巴黎的人類博物館，第一次看到黑人雕刻奔放的變形，立刻被迷住了。……這個醉心於伊伯利亞及黑人雕刻的畢卡索，確實有一種觸電似的反應。」（註二五）大師畢卡索由於一九〇六年的伊伯利亞展和一九〇七年的黑人雕刻，接連兩次的雕刻展，使他被迷住了，又有觸電似的反應。就從他的雕刻作品或其他的理論中，都證明是受這兩次雕刻展的影響，又其受黑人雕刻之影響巨深。李可染也說：「看作品，讀原著，介紹歷代畫家的作品和創作經驗等等……，有機會見一些有成就的大師，看他們畫畫，親聆指教，其收穫不是讀幾十萬字的文章所能代替。」（註二六）

這是對創作前一個很好的指示。即對原著，或作家的經驗談，該當多看多聽多吸收，能從思想、品味中，得其創作的啓示。當今就比往昔看畫讀畫方便得多了，都市又比鄉下方便得多，不過在民國七〇年代前後，各縣的美術展示中心陸續都已建好，並開始展出名家作品，這是文化藝術延伸到鄉間，人人皆可讀到、看到的最好例子。再者往往在鄉間的畫家們，也可用郵政之便，將有關繪畫的雜誌刊物，按期按月寄到身邊，也如同聆聽了名家敘述創作經驗。而住在都市的畫人就更享福了，可以挑選專家的繪畫或美學等等專題演講，更有系列的名畫家展，不論中外或大陸，古畫古物，應有盡有。能接觸到原作，並聽到原作家的敘述及解答，從錄放影機等媒體可見到他畫畫的構思，家居生活的全部，更可聽到衆人和專家學人對該畫的評論與剖析，一系列的，清清楚楚的投射在你的腦海裡，並且是數個月之久，若怕忘記，還可購買畫冊和錄影帶。如此，對今天都市的畫人不是大的福氣嗎？

總之，水墨山水畫創作來源，是多方面的，而讀畫、看畫就是得到啓示並激起畫興後從事創作中，最好的方法之一。讀畫、看畫，本不當細分，因爲都是閱看古今名人的畫幅。而讀畫祇是偏向於靜態些，自己的典藏畫，或畫冊，在自己秘室內獨自欣賞、品味與學習。而看畫，則偏向到展覽場，或講演所參觀，爲大衆的、開放的、時間受限制的。但讀畫和看畫不可分處，在於觀賞者的心態，若是不論在室內或室外，祇要是靜心的、專注的、探源的，而不是走馬看花的話，如此，這就全無分別了。因爲都是從畫中得到啓示、新發現而創作的。質言之，讀遍古今天下名家畫，莫不是爲了增進創作品的意境，所謂沈宗騫的「境之極而藝之絕也，非參透各家窮究萬變，而後復歸於質樸。」（註二七）即是最好的註腳。

第三節　寫生與臨摹

水墨山水畫的生命，即是創作。前面已探討過，讀畫看畫得到啓示，爲的是要創作。讀萬卷書，增進知識和靈感，也是爲了創作。行千里路，接觸大地，尋求新奇，促進靈命，同樣是爲了創作，而寫生更是爲了創作。寫生與行千里路，雖然都是接觸大自然，但有所不同。因爲寫生比行千里路，更進入自然，貼近自然，凝視自然，渴慕、得到，進而行動描繪自然。尤其視覺藝術的水墨山水繪畫，中外古今畫家無不到戶外寫生的，所以寫生，自然而然變成創作的一種捷徑。其重要性正如歷代名家所言：外師造化，中得心源之意。而謝肇淛說：「人之技巧至於畫而極，可謂奪天地之工，洩造化之祕。」（註二八）其意義都是說先要「寫生」自然，而後超越自然變成創作以達到畫之極，這是「奪天地之工，洩造化之祕」的創作目的。明朝唐志契說：「凡畫山水者，看眞山水極長學問，便脫時下筆下套子，便無作家俗氣。……故畫山水而不親臨極高極深，徒摹仿舊人棧道瀑布，終是模糊丘壑，未可便得佳境。」（註二九）明朝無名氏曰：「腳跟踏盡四海五湖，心中方有千崖萬壑。眼前景象層層出，筆底江山涎涎生。」（註三〇）

以上三家是說，多看眞山眞水，即能脫離臨摹和俗氣，並能引至佳境。尤其水墨山水畫之挫敗，即在於臨摹，前已述過，所以醫治臨摹的主藥，就是以寫生來代替之。後者更強調山水畫家若能踏盡五湖四海諸山河，心中筆下自然就有丘壑，寫生山水之妙，就在於此了。明朝王履的《華山圖序》（註三一）曰：「畫物欲似物，豈可不識其面？古之人之名世，果得於暗中摸索耶？彼務於轉摹者，多以紙素之識具足，而不之外，故愈遠愈僞，形尚失之，況意？苟非識華山之形，我其能圖耶？」（註三二）這是說，一個畫家如果祇限於臨摹古人，祇限於對前人的繪畫作品的感受，不走到廣闊的大自然中去，沒有對所畫山水有直接的審美感受，就不可能畫出眞實的形象，也就根本談不上表現情意。直接審美感受乃是創造繪畫作品的先決條件。宋朝郭熙也說到觀察與寫生的重要，他說：「嵩山多好溪，華山多好峰，衡山多好別岫，常山多好列岫，泰山特好主峰，……奇崛神秀，莫可窮其要妙。欲奪其造化，則莫神於好，莫精於勤，莫大於飽遊飫看。歷歷羅列於胸中，而目不見絹素，手不知筆墨，磊磊落落，杳杳漠漠，莫非吾畫。……今執筆者，所養之不擴充，所覽之不淳熟，所經之不衆多，所取之不精粹，而得紙拂壁。水墨遽下，不知何以掇景於煙霞之表，發興於溪山之顚哉」（註三三）其中所謂「飽遊飫看」，就是觀照自然的廣度和深度。郭熙他認爲，祇有飽游飫看，審美方能達到一定的廣度和深度，才能「奪其造化」，創造出「磊磊落落，杳杳漠漠」的審美意象來。古人如此說，近代山水畫家李可染也如此說：「中國畫的糟粕，就是公式化。元代以後，公式化得可怕。很多山水畫，一點感受也沒有，脫離生活，脫離眞實，成爲沒有生命的軀殼。……」又說：「怎樣拋棄公式化？辦法就是到生活中去，自然界本身就是豐富多采的，變化莫測的，它可以幫助我們克服公式化。」（註三四）

以上是例舉歷代畫家名人對畫家必須親臨大自然，觀察、寫生方能奪其造化，創作水墨山水畫的看法。再從歷代名山水畫家實際的寫生行動與觀察，舉例證說明，寫生是水墨山水畫成功的門徑：例如《歷代名畫記》：「宗炳好山水，西陟荊巫，南登衡岳，因結宇衡山，懷尙平之志。以疾還江陵，歎曰：『噫！老病具至，名山雖遍遊。唯當登懷觀道，臥以遊之。』」（註三五）在《中國畫論類編》中，同樣談到宗炳對山水寫生之事說：「山水畫的開始，完全從眞山水眞寫生中得來。宗炳多遊名山，對於自然感受極深，故能發明山水畫寫生的方法。其中論遠近大小，如何在畫面上表現大小巨嶽，完全與現代透視學相合。」（註三六）五代荊浩也記曰：「畫者，畫也。度上物象而取其眞。……何以爲似？何以爲眞？叟曰：『似者得其似遺其氣，眞者氣質俱盛。』」（註三七）是說，要詳盡的測度觀察看物象，使其內部精神和生命的全部尋到，才是氣質俱盛的好畫。明朝莫是龍也說：「畫家當以天地爲師，每朝起看雲氣變幻，絕近畫中山。山行時見奇樹，須四面取之。……看得熟，自然傳神。傳神者必以形，形與心手相湊而相忘，神之所托也。」（註三八）同樣是說，畫家當師法自然，觀察自然的各種變化，並要看得熟，看得相忘，畫自然的就傳神了。也說到齊白石：「在家宅四周，種花種樹，養蟲養鳥，直接觀察自然界物姿風采。他五次出遊，走遍了半個中國，生活經驗極爲豐富，觀察社會相當深刻。」（註三九）山水畫家李可染是以寫生爲重的代表者，李可染說：「五〇年代，我幾次背著沈重的畫具外出寫生。跋山涉水，行程數萬里，想在創作具有時代精神，充滿生活氣息的新山水畫方面，有所追求，有所探索，有所突破。」（註四〇）

留在中國大陸的山水畫家，對於到外面寫生，實在不遺餘力。李可染背畫具爬山涉水數萬里不在話下，就連少有名的山水畫家，有那一位不登臨黃山寫生呢？就連劉海粟年老力衰，還不是數次乘轎登黃山寫生嗎？寫生是創作山水的捷徑，但寫生並不等於創作。而中國大陸畫家何以自幼至老都要登黃山遊四海，寫「祖國山河」之偉大而不息呢？是因爲在創作的思想上，觀念上不能全然自由所致，因此依照山河寫生，雖是筆法墨氣有所改變，但山河總是近似，由於近似河山，畫家的思想錯誤就不易找出了。大陸畫家若是老年也不登山寫生，像旅法畫家趙無極，多時在畫室創作，運用思想，任情的畫自己，抽象具象全憑個人的自由創作，想必對中國山水的貢獻會更大。但是恐怕就不合於中共的規定「藝術是模倣」、「美就是生活」《車爾尼雪夫斯基》、「藝術就是按照實際的樣子把生活表現出來」《別林斯基》、「藝術就是爲工農兵服務的，他不能脫離國家民族而獨立存在的《延安文藝座談會上的訓詞》」等「蘇式寫實主義」了。（註四一）這種不自由的限制，使得中國大陸畫家，重寫生卻少於「物我兩忘」的創作機會，也是中國繪畫上一大損失矣！雖是如此，卻不能減低寫生的重要性。

寫生可使畫家親近大自然，觀注大自然。再則，要畫家畫全貌的大宇宙，不祇畫自然之一角，仍是宇宙的整體，甚至也包括了畫家的個性。所以畫家的胸懷也必須是融入宇宙的。這也是中外風景畫家何以要寫生的重要共識。正如嵇康說：「目送鴻歸，手揮西弦。俯仰自得，遊心太玄。」也如王羲之的《蘭亭序》云：「仰觀宇宙之大，俯察品類之盛。」這是水墨山水畫家在大自然中得到的大宇宙胸襟，也是中國山水畫爲表現全宇宙生命、生機的深奧意境。不過寫生的方式卻有遊歷自然，觀察自然，記憶自然，或炭筆速寫自然。在時間上，有即興而作，而大多數是要到畫室經醞釀後再創造的。無論是抽象，是具象，或全然不是此景物皆有可能，時間數天數月都無法預計。所以說對景的寫生不一定是創作（但寫生在中西畫中絕對是重要的）。因爲繪畫不是抄襲自然，如羅丹說道：「一個低能的人祇是抄寫自然，而永遠不會成爲藝術品—這實在是由於他視而不見；枝枝節節，不厭其詳，結果毫無好處，呆板而沒有性格。」（註四二）畢卡索將自然與繪畫藝術的差異說得更清楚，他說：「藝術與自然是兩者，完全是兩回事不可能是同一體物，我們是透過藝術，表現我們不屬於自然的概念。」又說：「他們（是指委拉斯貴茲及魯斯本（Peter Paul Rubens，一五七七—一六四〇）的作品很明顯的，從異於自然的原始或太古時代畫家開始，直到信賴自然再現的大衛（Jacques Louis David，

一七四八—一八二五）或安格爾也都認為藝術祇是藝術，並不是自然。」（註四三）

趙雅博的文學藝術心理學上也說：「藝術並不複製某個現存的東西，而永遠是產生某個新東西，它形成一個精神的新形態」（註四四）該書又說：「創作在對自然物上，我們稱之為加工。」（註四五）就當今的畫家袁金塔也說：「寫生，不能做自然的奴隸，而無所作為，無所創造，它必須匠心獨運，經過剪裁、誇張、想像、組織，使表現出來的比原來的更美、更理想、更有性格、更有感情，在寫生的過程中，遇有困難，就要大膽的去嘗試，反覆研究，不要怕失敗，有了新發現，就當力求就藝術語言新的表現方法，新的創作理論，這樣才會不斷提高創作力、表現力和感染力，並促進創作風格的新形成與發展。」（註四六）不過李可染也已經以同樣的意思說過了。以上幾位畫家都一致認為自然不是藝術，藝術也不是自然的再現，祇有低能的人才會照抄自然！

那麼如何能使自然變成藝術呢？其間的奧祕，就是必得經過那些具有藝術心的藝術家。其中寫生的經歷，可從清朝布顏圖的一段話中窺得之。他說：「王宰十日一山，五日一水，信不謬矣，歷覽名山大川，……憬然始覺從前之陋，詎數幅邱壑所能盡之者？然後始等經營位置而難於下筆，以素紙為大地，以炭朽為鴻鈞，以主宰的造物，用心經營之，諦視良久，則紙上生情，山川恍惚，即用炭朽鈎取之，轉視而不復得矣。有片刻而得者，有一日而得者，有數日而不得者，蓋神使然也，非人力所能也。」（註四七）

當然也有更多畫家就在這寫生和修改的過程中，將畫撕掉、丟棄了。更有不少的畫家，僅止於觀看、遊賞，長年久月的觀，在自然而然之中，在無心插柳，柳成蔭的情況下，成了作品，這樣創作彷彿不是寫生，實際上仍然是眞的寫生作品，因爲他是取之於大自然，並且親臨自然，感到的是新鮮的自然，眞正握到了自然，所以此作品當然是寫生的。山水畫家各人習慣不同，這種種不同的方式，也正是繪畫創作上理所當然的正常習慣，因此也是畫風有多采多姿不同的格調了。

但不論寫那個地方或用什麼方式，總不得照實景抄寫，總得變形，著意爲綱統，如近代中國畫家黃賓虹是很重寫生的，但其畫冊的作品，卻沒有一幅是實地實景，而石濤的眞跡，更是簡了再簡，變中求變，絲毫看不到眞山眞水了。就以潘天壽的文字記載也同樣說道：「石濤周遊很多地方，搜集名山奇峰，再回來打草稿，但正稿完成之後，你根本看不出畫的是什麼地方了。畫的東西與眞實的景物完全不一樣。」（註四八）

潘天壽又說：「如黃賓虹先生很重視寫生，在火車上也畫寫生，火車早已開過去了，他還在畫。畫成的東西與對象不一樣，他是不管的。」（註四九）又說：「黃賓虹先生在棲霞嶺，經常在那一帶山上走的，但他畫的棲霞山，與眞實的棲霞山是相差很遠的。他畫的房子，都有點東倒西歪，山與人的比例，也無一定。他是取自然景色之意，並不是要去畫地圖。他的作品，畫起來隨意，看起來舒服，這就是藝術的眞實。」（註五〇）這種不像的寫生，才算得上是創作藝術，因爲藝術是自然的加工，其間所加的東西即是畫家的思想、學養、藝術才華與技術。

總之，寫生是創作的根源，由於寫生必得接近自然萬物，觀察其千變萬化，體察其形相，從中產生了物我的情感交流，增進了對物親切的友誼；進而使這種種的感受和記憶，層層的潛入心底，作再次醞釀的工作，一旦成熟，這就是未來創作的資本和動力。所以山水創作不能沒有深厚的寫生經驗。最後，再以潘天壽在《談藝錄》中說的幾句話作爲水墨山水畫重寫生的結語：「畫家在表達對象時，須先將作者的思想感情，移入於對象中，熟悉其生生活力之所在；並由作者內心之感應與遷想之所得，結合形象與技巧之配置，而臻於妙得。是得也，即提得整個對象之生生活力也。亦即顧氏所謂『遷想妙得』者是矣。」（註五一）

第四節　中西融會留長補短

水墨山水藝術如同一個國家，都是一個生命體。生命體者，有生有死，生者是能吸收、發展、壯大、放射光芒，照亮別人；死者是不能吸收，不能發展，無法茁壯，而後漸漸消失。當然我們的國家與我們的水墨山水畫，都願是前者，而避免後者。因此水墨山水畫必須負起發揚光大的責任，此重任先得從承先啓後做起。承先者，承起中國水墨山水畫中悠久的特質，並將其特點積極的發揚光大。啓後是必須吸收西方繪畫文化的優越處，融匯東西兩方成一大洪流，以貢獻給中外畫壇，並交棒給後代。所以發揚固有，吸收新進，兩者缺一不可，謂之「留長補短」是也。

林風眠在一九二九年《中國繪畫新論》裡說：「從歷史面觀察，一個民族林立發達，一定是以固有文化爲基礎，吸收他民族的文化，造成新的時代，如此生生不已的。」（註五二）劉國松也說：「我們都以五千年的文化爲榮，但不應以祖宗的光榮爲滿足，要繼承而發展。不管在國內、在國外，對於發展中國文化卻具有同樣的責任。使中國文化精神成爲一種國際語言，讓國際藝壇人士直接接受而瞭解。」（註五三）在這留長補短的急務之際，更不可忽略，中西繪畫文化各有其長短。如當代畫家潘天壽提到西方民族的差異時說：「西方民族多偏於奔放和外露，東方民族多偏於平和與內在。從繪畫上看，西方的繪畫都追求外觀的感覺和刺激，東方繪畫都偏重內在的精神修養。中國繪畫作爲東方繪畫的代表，尤爲注重表現內在的精神氣韻，意境格趣。」（註五四）

當代美術史家李霖燦則指出：『中西藝術思想的不同基於歷史文化的跡轍不同而形成。西方哲學在於跨前一步而且務實，所以和自然迎面而對。所以要征服它、駕馭它、解析它，而使之實現。東方哲學在於退後一步，且求胸中意境，所以條條大道路面寬闊，把自己溶入自然，天地我俱有，和諧地而爲一。因此，形諸於藝術的是，西方表現在「分析、專門專才，一個人在事實上儘可以引爲不檢卻學有專長，中國表現在「天地人三才，萬物皆吾與也，要求完整而別有會心」（註五五）；而另一方面，基於人同此心，心同此理的更大基礎上，中西藝術皆表現了人類相同的共通性與永久性。而林風眠在《東西藝術前途》一文中說得更爲恰當：「其實西方藝術之所短，正是東方藝術之所長，長短相輔即是世界藝術的產生。」（註五六）這又具體的說出中國山水畫留長補短的使命。

水墨山水畫之長即是其特質，如第三章所述的：一、筆情墨趣，二、餘白空靈，三、詩情畫意，

四、意境參天，五、散點透視，六、人品與文化。這些特質正是發展水墨山水的源泉，也是西方繪畫之不足處。中國水墨山水的特質正與當代美學家宗白華所見，多有類同。他說：「中國繪畫的特質，在於傾向抽象的筆墨表達人格心情與意境，具有建築的形態美，音樂的節奏美，舞蹈的姿態美，以書法爲骨幹，以詩心詩境爲景，以留白表現『虛即實』的宇宙觀，其主題正是《易經》的宇宙觀，可以說是『氣韻生動』、『生命的節奏』或『有節奏的生命』，其境界似乎主觀而實爲一片客觀的完整宇宙。」（註五七）宗氏所論特質的範圍較廣，包含了中國繪畫其他的科類，如人物畫等。而水墨山水畫之特質所論，僅限於水墨山水，所以較狹窄。特質也與諸家論點一致。如宗氏前所說：「參天的意境」，即是潘天壽說的「偏重內在的精神氣韻，意境格趣」。李霖燦的「求胸中意境」、「天地人三才全」又與宗白華的「其境界似乎主觀而實爲一片客觀的全整宇宙」相同。「詩情畫意」又同於潘天壽所謂「東方繪畫都偏重於內在的精神修養」，又同於中國畫家的敦品勵德，又與宗白華的「以詩心詩境爲景」皆全然相符。宗氏又說「傾向於抽象的筆墨表達人格心情與意境」等，正是本文第三章所論的「筆情墨趣的意境參天及第五章「心源之整合」相同。「以留白表現『虛即實』的宇宙觀，和李霖燦的『中國畫表現在全』，以及三章中的『餘白空靈』，『文章性透視』皆是類同的。再看一看朱德群對我國畫的認同與熱愛的現身說法：「在巴黎，大部分的西洋名畫都看過了，於是回頭又想起中國畫來，竟發現中國畫更有味道，它具有深刻含蓄的一面。」（註五八）「有深刻含蓄的一面」，就是中國畫的特質。從以上諸家對中國山水畫特質共認與肯定，當必須保留及發揚。若有人愚昧的想將優良繪畫的根全然挖掉，將來發出的新芽是否還會是「中國」的呢？這種挖根滅種之罪不得不愼。

首先，是吸收西方繪畫優點，融中國畫爲一爐：吸收別人而改良自己的觀念，已屬現代人的必然趨勢，因科技的猛進，使得國際距離和語言，已無隔閡，尤其資訊之快，使得全球人類如同班同學，所見所聞，所需所用，也就愈來愈無距離了。例如書桌上電燈的電源，或病時服藥，從未考慮過是東電或西電，更沒有因我是東方人而拒絕打西針、吃西藥，祇要病能醫治，中西藥都無妨。再如天空臭氣層的破洞，空氣的污染已無法分出是東方問題或西方問題，這已經是世界性的問題了。因此，人類愈來愈「大同」而無國際之分了。所以人們心裡對繪畫的需求，畫家對畫的表現，同樣愈來愈接近而無國際的鴻溝了。因此，今日的畫家、欣賞家、評論家等，都當認同中西融匯，使它更好已是必然的事情了。

其二，包容：中國一向是最有同化力的民族，有歷史上數次文化的大混合爲證。但對異族文化主動的包容性還欠不足，不像美國不拒絕移民，或想將紐約變成巴黎爲畫都，其中雖然有許多是爲了刺激自己國家變爲新生文化的企圖心；但不可否認的，其中尙有更多的主動的包容心。所以爲了增進我國繪畫藝術有新的生命，也需要有主動包容西方繪畫，吸收西方繪畫的觀念，更不能再固步自封，一味排斥等不健康的觀念了。但吸收的原則是適合者、精湛者取之；劣者、惡者捨之。其方法是：研究西方美學，研究西畫理論與歷史，研究西方畫家的創作理念和發展動向，以東方畫家的基石，去詳細觀察西畫以及文化中的啓示。在這中間一定得理性的吸取，更得是發揮中華民族的同化力，不能媚外，不得偏私，而成爲負起眞正改良中國水墨山水畫責任的一位智者。

先從中國畫家融合的經驗中探討之，如趙無極、朱德群的畫，都是以西畫性抽象的造形，卻具有中國山水畫的情懷。趙無極說過，「他是用中國書法的筆勢寫油畫，擅用筆法交融。朱德群也用書法筆勢寫油彩，擅用渲染暈合及彩色對比效果。用油畫等西法表現中國山水純粹的抒情抽象世界。」（註五九）以上兩位旅法中國畫家，對中西繪畫之融匯，都有很好的成就，其理念是値得效法和反省的。但他們先前都是以西畫爲主，而且是已成名的西畫家；換言之，其思想、理想和根基皆是以西畫爲主，而中國畫爲屬次的。我們現在所論的，是更多以水墨山水爲基礎的畫家，再跳進西畫領域並吸取後，所產生的水墨山水新風貌，如同牛吃的是草，擠出的是奶。更深入的吸收，當捨去技法，進入繪畫的精神和創作的動向，也不限於具象或抽象等任何形式，卻是思想的。如朱德群說：「抽象的形式在西方，精神在中國，因此，抽象畫的詩意及感情與中國人的個性、文化傳統相呼應。」又說：「中國畫深刻含蓄有抽象內涵，中國人畫畫完全是對景有所感才畫，與西洋繪畫有形的表現截然不同。寫生不重要，重要的是豐富的幻想力—自我創作形。」更說：「畫家畫到最後，最需要的是中國文學。」（註六〇）這些畫理是很寶貴的，與西畫融合時，當不能失去，並能深深的感動中國人的詩心、文學心及中國人之情，爲核心的繪畫。論科學，東方不如西方，而感性的文與藝，東方就比西方深刻多了。這種動思想、用感情之優勢不可搖動。如趙無極說：「繪畫中最重要的是觀點問題和思構問題，而不是怎樣畫的問題。每幅畫都在解決問題，解決一個問題後，另一個問題又出來。」（註六一）趙無極在台北市立美術館同樣說：「畫畫是自己找自己的痲煩，有時一年還畫不到兩幅畫，其間全是用心想，絞腦汁，幻想的時間。」由此得知，畫家動用的是思維，而不是技法上的混合問題，若是祇在技法上求混合，則是白白浪費時間。

大陸老畫家林風眠，對東西合璧中的貢獻尤其大，以他的風格論曰：「有雷諾瓦的鬆動、莫內的新鮮明朗、塞尚的統一節奏、中國的線條和墨韻、個人磅礡的氣魄。不題字，祇一印並簽名。又把馬諦斯畫中的抒情因素與中國文人畫的表現方法合而爲一。解放中國繪畫傳統線條與色彩，並採用西法構圖，以中國繪畫意境表現爲主。」（註六二）林風眠是研究中西各畫家畫風後，以自己性格，所願所求的，自然而然的融入他個人的畫中去，這是一種很正確的合璧方法，値得以自己的所感所願，去吸取、融合、再表現。不過所學習的是他改良的心志，而非是他已改成的畫風，因其中尙有差強人意之處。劉海粟是「所作油畫，融有中國繪畫的觀念與哲理。作水墨畫，引入西法，得色彩陸離之妙。」徐悲鴻是「油畫有折衷的試驗性，用西方傳統技法表現中國思想內容。改良國畫以傳統線條爲主，融合西方構圖，造型與色彩等技巧。」（註六三）以上三位大師對中國畫之改良用盡苦心，並在畫風上也已付出行動。林風眠已有眞實性和裝飾性的獨特風格，而後兩位一直是在「有意」的合璧中研究，有時用中國的線和墨而與西畫的造型與色彩之結合，或引西方畫法而採用中國水墨山水的詩意畫境等合併，這雖是合併的方法和試驗，但卻是牽強，拼湊而不自然。換言之，若是專爲中西合璧而努力，忘卻爲畫的生命而創作，就又失去了自由，爲某種責任感而縛束，就很難做到眞正的改良或合璧了。其眞正合璧正如朱德群所說：「這中西交融的作品，如同『混血兒』，沒有那個部分可以指出是東方或是西方的，這是自然的呈現，因爲畫是表現畫家自己，而非刻意追求中西合璧，因此，必要條件是：中西繪畫都要『精通』。」（註六四）

總之，中西融匯雖屬急務，當得出於自由自然，筆者很認同《東西交併的火花》一文的一段話，並引爲結束語：「這個問題實則不是問題。依我的看法，最好的條件是理解中西繪畫觀並兼擅中西畫法，以及建立自我思考體系；在融合的刹那—交併那一刻，渾然忘我—不分中西，不知東西。什麼材料工具什麼筆情墨趣，什麼虛實光影什麼明暗層次，什麼民族情感地域特色，什麼個性內涵哲理歪理，全都不管！交併的那一刻，祇有眞情感與實在。……那就是他們早年旅法的幾位畫家融合的眞精神—不分中西，不分東西，渾然忘我而產生出來的境界，是形是色，非形非色，形與色出入太虛，轉摻無窮盡之何其自由！」（註六五）

【註釋】

註一：明朝莫是龍，「畫說」（台北市：河洛圖書出版社，一九七五年五月台景印初版），頁七一二。

註二：明朝董其昌，「畫禪室論畫」。同上註，頁七二六。

註三：清朝唐岱，「繪事發微」，同註一，頁八六一。

註四：明朝李日華，「竹嬾論畫」，同註一，頁一三四。

註　五：明朝范允臨，「輸蓼館論畫」，同註一，頁一一二六。

註　六：清朝唐岱，「繪事發微」，同註一，頁八六一。

註　七：張夢機（中大中研所所長），「詩人創造空間」，美術論叢二八，生活、空間之美（台北市：市立美術館發行），頁二八。

註　八：李可染，「李可染論畫」（台北市：丹青圖書公司，丹青文庫二三二），頁一三二。

註　九：同註八，頁一三二—一三三。

註一〇：同註八，頁一三三。

註一一：宋朝郭熙，「林泉高致」，同註一，頁六三八—六三九。

註一二：虞君質，「藝苑精華錄」（第一輯），曾刊登於台灣新生報專欄（一九六二年一月出版），頁一。

註一三：同註一二，頁八一。

註一四：明朝無名氏，「畫山水歌」，同註一，頁七六一。

註一五：明朝李式玉，「赤牘論畫」，同註一，頁一一三六。

註一六：明朝李日華，「論畫山水」，同註一，頁七五七。

註一七：同註一二，頁八二。

註一八：明朝李日華，「論畫山水」，同註一，頁七五六。

註一九：清朝王原祁，雨窗漫筆，同註一，頁一七一。

註二〇：清朝松年，「頤園論畫」，同註一，頁三二八。

註二一：趙無極（一九二一—），生於北平，旅法抽象畫家。

註二二：趙無極，梵思娃，馬凱，「趙無極自畫像」（台北市：藝術家出版社，一九九二年一月二十五日初版），頁五〇。

註二三：同註二二，頁一〇三—一〇四。

註二四：同註二二，頁一〇五。

註二五：畢卡索等著，呂晴夫編譯，「畢卡索藝術的秘密」（台北市：志文出版社，一九七五年九月出版），頁六二。

註二六：同註八，頁四五—四六。

註二七：清朝沈宗騫，「芥舟學畫編」卷一，同註一，頁八九三。

註二八：明朝謝肇淛，「五雜俎論畫」，同註一，頁一二七。

註二九：明朝唐志契，「繪事微言」，同註一，頁七三三。

註三〇：明朝無名氏，「畫山水歌」，同註一，頁七六一。

註三一：明朝王履（一三三二—？），字安道，號畸叟，昆山（今江蘇）人。是山水畫家，曾作《華山圖》四〇幅。

註三二：葉朗，「中國美學史大綱」（台北市：滄浪出版社，一九八六年九月初版），頁三三二。

註三三：宋朝郭熙「林泉高致」，同註一，頁六三六。

註三四：同註八，頁五〇。

註三五：唐朝張彥遠，「歷代名畫記」（台北市：廣文書局，一九七一年六月初版），頁二〇一。

註三六：同註一，頁五八四。

註三七：五代荊浩，「筆法記」，同註一，頁六〇五。

註三八：明朝莫是龍，「畫說」，同註一，頁七一三。

註三九：同註八，頁一三。

註四〇：同註八，頁二六。

註四一：王慶生，「繪畫：東西方文化的衝撞，（台北市：淑馨出版社，一九九二年初版），頁一四八－一四九。

註四二：羅丹口述，葛賽爾筆記，「羅丹藝術論」（台北市：雄獅圖書公司，一九八三年二月五日），頁三二。

註四三：畢卡索等著、呂晴夫編譯，「畢卡索藝術的秘密」，新潮文庫一三（台北市：志文出版社，一九七五年九月再版），頁一五一。

註四四：克羅齊說，轉引於趙雅博著，「文學藝術心理學」（台北市：藝術圖書公司，一九七六年二月出版），頁一八。

註四五：同註四四，頁一五。

註四六：袁金塔，「試論水墨畫創作上的一些基礎問題」，轉錄於美術論叢九，「現代水墨畫」（台北市：台北市立美術館出版），頁五二。

註四七：清朝布顏圖，「畫學心法問答」，頁一九八。

註四八：潘天壽，「潘天壽談藝錄」（台北市：丹青圖書公司，一九八七年一月台二版），頁四〇—四一。

註四九：同註四八，頁四〇。

註五〇：同註四八，頁四八。

註五一：同註四八，頁四九。

註五二：張繼生，「林風眠藝術的見解與折衷主義」，輯錄美術叢論一五：中國—巴黎—早期旅法中國畫家研究，（台北市：台北市立美術館發行，一九八九年五月四日），頁五三。

註五三：劉國松，「我的老師」，（台北市：中國時報，一九八七年）。

註五四：同註四八，頁一三。

註五五：李霖燦，「藝術欣賞與人生」（台北市：雄獅圖書公司，一九八六年二月），頁四四—四九。

註五六：林風眠，「東西藝術之前途」（台北市：藝術家雜誌九四期，一九八三年三月），頁七九。

註五七：宗白華，「美學的散步」（台北市：洪範書店，一九八一年八月），頁一二五—一三八。

註五八：朱德群先生語錄，見「藝術家」，一九七八年四月。

註五九：王素峰，「東西交併的火花」—論早期中國幾位旅法畫家在中西融合精神表現上的繪畫風格之異同。附錄：表三，趙無極、朱德群個人背景與風格表現分析表，輯錄美術論叢一五：中國—巴黎—早期旅法中國畫家研究，（台北市：台北市立美術館），頁一六六之後，附錄表三。
註六〇：同註五九，附錄表三。
註六一：同註五九，附錄表三。
註六二：同註五九，頁一六六之後，附錄表一。徐悲鴻、林風眠、劉海粟個人背景與風格表現分析表。
註六三：同註五九，附錄表三。
註六四：同註五九，頁一四五。
註六五：同註五九，頁一四九—一五〇。

第七章　水墨山水畫創作之探析

水墨山水畫有高度的藝術價值，與卓越的藝術特質，證明水墨山水畫有足夠的創作條件和進展潛力，並對世界畫壇的創作理念上有鉅大的貢獻，這些在前兩章已闡述，至於如何創作，首先，以甚長之篇幅論述如何整合一位水墨山水畫家能夠創作的藝術心，同時，如何挹取物源的方法又前後兩章也已論過。一位水墨山水畫家若是已擁有全備的藝術心和如何挹取物源的方法之後，而又如何進到創作，此乃本章所正要探研的，如凝神專注，觸類旁通，感動與創作，時代與創作，靈感與創作，化腐朽爲神奇，出神入化，得心應手等，即是創作的具體原則與導向。創作雖無固定方法，但每位畫家都能在這些導向和原則之下激發出強烈的創作欲望，以創作感情與創作素材，來透過每位畫家不同的個性，即能創造出永不相同的新意作品，更使水墨山水畫的創作進展之源，淵源不斷，川流不息。

第一節　凝神專注

水墨山水畫之可貴在於創作，其創作的方式，除了藉用大自然或萬物之外，最主導的，是畫家的心和情。繪畫是心靈的事業，是情感的世界，所以山水畫家爲了創作，不能不將精神、感情毫不保留的投入，以至於捨去。這也就是英國學者浮龍李（Vernon Lee，一八五六—一九三五）的「感情移入說」。她說：「當我們把我們自身的活動，投射到事物裡，那麼不僅事物所具有的形式會顯得美，同時我們自身也會感受到一種增加生命活力的快感。……總之，把我們自身的活動投射到事物裡，便是所謂的情移（Emapthy）。」（註一）以上所說，所謂情移，就是當我們觀照事物的形相之際，將在自身之內所體驗到的東西，歸附到形相上去。並且當我們將情感全部投射到事物中時，事物會格外生動活現，同時，我們也會有一股生命活力之快感。不過對事物之觀看程度，凝神專注非到事物全然孤立不可，除此再無他念。正如德人閔斯特堡（Hugo Munsterberg，一八六三—一九一六）所提出的：對事物的孤立思想，也謂「美」地孤立。在他《藝術教育原理》中說：「如果你想瞭解的事物本身，祇有一個方法可行時，你必須把該事物和其他事物分開，使你的意識完全爲這一單獨的感覺所佔住，不留絲毫餘地讓其他事物同時出現在此一感覺中。如果你能做到這步，結果是無可置疑的；就事物說，那是完全孤立；就自我說，那是完全安息在該事物上面，這就是對於該事物完全心滿意足。」（註二）是說當畫家創作時，要將自己的心全部凝聚在創作上，創作之外的任何事，都當忘記，這和康德的無關心論的說法也是一樣的。祇關心你創作的事物，並將其孤立起來，而其他事物則全不關心，也全然絕緣；如此即可得到創作中所需要的。兩大名家都一致認同，一心的讚許這凝神專注，完全投入，使事物完全孤立的創作方法，實在是中國水墨山水畫家當謹愼持守的一大原則。

移情之投入對繪畫創作的重要性，是中西美學家和畫家一致認同的，因爲當畫家達到此種心境時，他的體內與體外已都變成藝術了。正如趙雅博在《文學藝術心理學》中所說：「藝術家所經驗的宇宙，已經不止是交給了藝術家，藝術家也交給了宇宙，藝術家爲宇宙所統制了，同時他也統制了宇宙。藝術家在其藝術經驗中，認爲世界包括自然世界與人爲世界，它已變成了一個新的外貌。」（註三）感情移入能達到物我兩忘，天人合一之境地，正是創作的好法則。在中國詩中有許多都是物我不分，皆是有血有淚的活物傑作。如李清照詩：「山光水色與人親」。柳永詩：「惟有長江流水，無語東流。」或如李商隱詩：「春蠶到死絲方盡，蠟炬成灰淚始乾。」這彷彿全是事物主動的向人們訴說些有情有淚的眞心話。再如蘇軾詩：「與誰同坐，明月清風我。」李白：「舉杯邀明月，對影成三人。」這彷彿是換了人主動的向物表達情意了。人物對話，互訴衷情的情調，在詩人、畫家心中一向視爲創作的好方法。此方法在中國謂之爲「遷想妙得」。也是張彥遠的「凝神遐想」，莊子的「忘我」。如張彥遠曰：「凝神遐想，妙悟自然，物我兩忘，離形去智，身故可使如槁木、心固可使如死灰、不亦臻於妙理哉？所謂畫之道也。」（註四）晉朝顧愷之善畫，一般人以爲他是個「痴呆子」，張長史工書，旁人也把他當做「瘋顚漢」。他們之所以善畫，是用志不分，凝於聚神的表現。

詩人和畫家在創作上，以其用情之深，用心之專，竟爲「呆子」和「顚漢」。這名字當認定是雅號，並且應是毫無半點低貶之意才行。因爲畫家所用的心和情，並不是痴呆、混亂又低沈的心，也不是顛狂散漫、荒誕無度的心，卻是光明喜悅，活力充沛，超然物外，躍越人寰，爲人所不能瞭解的生命力、活潑心之所致。正如《藝術春秋》書中所云：「可知藝術是生命力的有效表現，缺乏生命力的藝術，則不成其爲藝術；而凡不能用自己的生命力量傾注於作品，從而收到感人之效果的藝術家，亦即不成爲藝術家了。……在人類的歷史上，有些偉大的藝術創造者，在其從事創造的當時，一方面把人格內部儲存的生命力量移轉而爲作品的生命力量，而作品的生命力量又移轉爲鑑賞者自身的力量，這樣遞嬗推移的結果，形成了藝術全部創作及鑑賞的過程。」（註五）

以上是說明了：畫家將心和情全部投入時，立刻會轉變成生命活力，使得心物互動，天人合一，達到神助創作的靈境。當畫家凝神到物我兩忘，專注到視而不見，這種忘我、忘物，以及不見的時刻，畫家究竟到那裡去了呢？畫家肯定是到自我的純自由裡面了。正如葉朗在《中國美學史大綱》中所說：「精神高度集中，達到了『忘我』的境地。畫家超越世俗利害、得失的考慮，也超越了自己的生理存在，把全部的注意力都集中於胸中的審美意象。由於這種精神的超越和解放，乃可獲得一種創作的自由。」（註六）這是一個極好的創作方法，即是畫家要極度集中精神，以致忘掉自己生理之存在，將注意力全部集中在胸中的事物上，此時就可產生一種創作的自由，這種創作自由的情況，也如詩人王維所云的境地：「行到水盡處，坐看雲起時。」如此不食人間煙火，出神入化的地步，何來的不自由？畫家是誰？我是誰？要畫什麼？類似種種的問題，已全不存在了。我國「物極必反」的道理會自然而然的發出它的光輝來，那就是「無」後的「有」，坦然無懼，放蕩順性的創作了。這種進入自然萬象而創作的心態，正如畢卡索的經驗之談，他道：「要確實地把握事物時（已物我兩忘），你所抓到的東西是你的自我，你的自我是你胃囊中放射萬丈光芒的太陽，其他什麼也沒有。」（註七）他說的，其他什麼也沒有，不也正凝神專注的創作原則嗎？

總之，中國的凝神專注、無我忘我，或西方所謂的移情學說、康德的無關心論等，通通是爲了藝術創作。藝術家的心，唯有用到此種境地，才能畫出眞正的藝術品，這是創作上用心的一種良法，正如唐朝張彥遠所說：「守其神，專其一，是眞畫也。運思揮毫，意不在於畫，故得於畫矣。不滯於手，不凝於心，不知然而然。」（註八）

第二節　觸類旁通

觸類旁通是創作水墨山水畫最有趣的方法之一，例如當畫家專心尋找創作靈感時，往往在水墨山水畫的範圍之內苦苦也找不到半點靈感，但稀奇的倒是在那些不關緊要的歪門旁道上突然激起了創作水墨家之靈感。因此，中國山水畫家，除研究有關山水理論、方法及美學外，當可閱讀西洋畫論、西方美學和西畫大家的創作思想，更裨益於山水畫的創作領域。因爲中西畫家同是人，而人的思想、精神是相通，尤其繪畫創作上的思路，更容易相融與相通，藉此可使水墨山水畫有創新的思維。

讀詩辭歌賦、聽音樂戲劇等，這些雖與山水畫性格不同，但它的內涵同屬藝術，其總則是相同的，從中引發對水墨山水畫的創作靈感，更是件順理成章的事了。其次是對於山水藝術格外殊類有關的事物或動作，皆會觸景而生情，進而引起自己本行的創作情趣。如郭若虛在《圖畫見聞錄》裡所記有關吳道子的一段故事就是最好的例子：「唐開元中，將軍裴旻居喪，詣吳道子請於東都天宮寺畫神鬼數壁，以資冥助。道子答曰：『吾畫筆久廢，若將軍有意爲吾纏結舞劍一曲，庶因猛勵以通幽冥。』旻於是脫去縗服，著常時裝束。走馬如飛，左旋右轉，揮劍入雲，高數十丈，若電光下射，旻引手執鞘承之，劍透室而入。觀者數千人，無不驚慄。道子於是揮毫圖筆，颯然風起，爲天下之壯觀。道子平生繪事，得意無出於此。」

「這就是把從劍術所得來的意象翻譯成圖畫。我們也可以說吳道子從劍術中得到靈感。劍術的意象和圖畫在表面上本不相謀，但是實在是默相會通。畫家可以從劍的飛舞中得到一種特殊的筋肉感覺，把它移來助筆力，可以得到一種特殊的胸襟，把它用來增進圖畫的神韻和氣勢。唐朝草書大家張旭常自道其經驗說：『始吾見公主擔夫爭路，而得筆法之意，後見公孫氏舞劍器而得其神。』王羲之看鵝掌撥水的姿勢，取其意爲書法：司馬子長遍遊名山、大川之後，文章的氣勢日益浩壯，都是由於意象旁通的道理。意象可旁通，所以藝術家如果想得深厚的修養，不宜專在『本行』之內做工夫，應該處處玩索。雲飛、日耀、風起、水湧、花香、鳥語，以至於樵叟的行歌、嫠婦的野哭，當其接觸感官時，我們常不自覺在心靈中生出若干影響，但是一遇揮絃、走筆，它們都會湧到手腕上來，在無形中驅遣它動作。在作品的表面上雖不必看出這些意象的痕跡，但是一筆、一畫之中都會潛寓它們的神韻和氣魄，而這些意象的蘊蓄就是靈感的培養。」（註九）以上深入淺出的述說，將創作中良方觸類旁通已說得淋漓盡緻。

但是觸類旁通，並非任何人皆可通曉，而是給予那有準備、有深厚修養的內行家；換言之，音樂家在觸類中能旁通的是音樂，畫家於旁通後，所引發的創作品是繪畫。例如說：「佛來明（Fleming）在自己的實驗室內，找尋一隻盒子的時候，他看到了其中的一隻，他描述當時的情況說：它那葡萄狀的花紋，被那在表面上長出的霉沖散了，他將這種情形告訴了他的一位同僚，當時，他所獲得的，祇是一個泛泛的答覆：『是的，有趣！』然而他本人呢，卻看到了比『有趣』還多的事，也可以說是找到了非常的事件，他放下了他其餘的工作，對這個黴菌作起研究工作來，這就是盤尼西林的發明。（註一〇）當時若是畫家看了此種情形後又說了「有趣」之語，那他經過醞釀後所產生的，必定是一幅繪畫傑作，而絕非是盤尼西林了。同樣的，佛來明也就不會在研究後產生一幅繪畫來。至少是在人的工作範圍之內的修養與生來有興趣的人……，只有在自己工作範圍之內者並對此項工作甚有興趣的人，無論是出於本能、嗅覺、興趣或其他，都能引導我們到那創作的靈感之地。薩姆遜說：「材料、工作、以及偶然，都是給那具有秉賦的人一種所希冀的解決。有的人，應該生來是雕像者，他才會分辨脈絡起伏；一位音樂家，生來就該聽出假音符，一如一個生來的銀行家，應該認識世界政治的動盪，漲漲落落的光明與威脅。」（註一一）若我們是一位藝術家，首先需要有這種傾向，如果有這種傾向，才會有靈感，有靈感才能創作不息。到達這種程度後就可到處有文章，到處有珠寶。文章本天成，妙手偶得之，得者爲天才，天才有靈感，靈感生創作，創作復靈感，天下皆畫題專待畫家靈心來整理。觸類旁通的創作權益，卻祇屬於那深厚修養的內行家，比如「臨摹」與「創作」，幾乎是完全相反的兩回事，尤其是我國畫史已證明，因數百年的臨摹，以致成弊，成爲影響創作不張的主因。所以爲了水墨山水畫的創作前途，就不得不杜絕臨摹。雖然臨摹是初期學習的方法之一，不過當進入創作期，是要嚴禁臨摹了。但高明的，具有藝術眼的觸類旁通者，卻從臨摹中得到傑出的創作品，而絕非是臨摹。換言之，這種臨摹是爲了創作。就爲了創作才臨摹爲例，來說明觸類旁通的重要和事實。爲創作而臨摹，並非是給臨摹找機會或尋藉口，這裡所論述的僅限於水墨山水畫家以誠懇之心，爲創作而臨摹的理由。

首先，畫稿僅是作啓示的，當畫家面對對古畫或今畫時，決不存心仿其筆法與墨趣，更不可摹布局或想臨其部分等種種不光明的心理。僅能是一種觀賞、聯想和啓示。又如對畫稿如同於靜觀自然、探索自然一樣，（但比面對自然更嚴苛與須謹守不准臨摹之原則，因自然可畫、可取、可捨），祇靜靜的、深深的觀看，從專一凝神之中，自然會引出聯想及靈感的。這得是有思想且敏銳的畫家，同時對於任何東西都會有與常人不同層面的感受才能看見的。如羅丹說：「爲什麼藝術家祇相信自己的眼睛，就是這個緣故，在藝術家看來，一切都是美的，因爲在任何人與任何事物上，他銳利的眼光能夠發現『性格』；換言之，能夠發現在外形下透露出的內在眞理，而這個眞理就是美的本身。虔誠地研究罷：你們不會找不到美的，因爲將要遇見眞理，奮發地工作罷。」又同書上所說：「藝術家是能夠

『看見』的，即是說，通過其與心相應的眼睛，深深理解自然的內部。」（註一二）

以上提及藝術家眼睛能夠「看見」，所謂能「看見」的意義，即是別人看不見藝術的萬象，他卻能看見，就因有這種對藝術敏銳的眼，所以才能觸類旁通，使幾乎不可能的，或根本無關的事或物，都能變成作畫的靈感和動力，所以這裡雖說：看的不是自然，而是畫幅，但卻將它當作自然之客體來看待。再者。當面對一幅畫時，由於對好畫有仰慕之心，就會引起奮發創作的慾望，又可以完全相反的眼光去觀察此畫，由此更會創作出與原畫絕不相干的作品，但卻因此畫稿而引發了創作動機。這也就是說，何以看畫稿而不臨稿，卻能產生創作的原因。

另者，為挑戰而看畫稿之創作原則，就是眞正的畫家，當他面臨畫稿時，他會全然的改變它，並且會比原畫更美，而又不是原畫，僅是原畫的挑戰者。最高明的臨摹者如畢卡索，在畢卡索之《藝術秘密》中說道：「有名的畢卡索仿作，就是模仿這些巨匠們的名畫，然其方法則是以自己一流的技法，這並不是模寫，而是幾乎不停留於原形的改作，也是一種新的創造。畢卡索說：『一般作畫都是從自然得到主題，但我的靈感是他人的作品展示給我的東西。』」（註一三）畢卡索很坦誠的說出他這種創作品，不是從自然中得來的，而是從名家的作品中看後，去模仿、改變而成的新創作，也是一種創作的新方法。接著畢卡索又說：「這樣的製作態度，若讓批評家批評的話，那他一定會說很像音樂家的作曲，確實，音樂家當一面心裡存著某家曲子的旋律時，又一面從那裡發現了主題，然後編出變奏曲，同樣的，畢卡索的仿作也是將原作天衣無縫地改變，有時更以此為樂。另外還有一說，認為仿作是一種破壞，畢卡索到此爲止的作品是無假借地增加，但爲了創造，於是有透過破壞而完成的作品。」（註一四）以上又說出臨摹時的創作心境，如音樂家創作曲子的比喻。高明的畫家，其眼觀的是畫稿，而內心反應的卻是新的創作主題，以及新的思路。其次又提到，仿作即是破壞，這就是所謂對畫稿的一種挑戰，和以一種完全相反的心來相待，相反的就是對原畫的破壞，而畢卡索即是爲了創造，而透過破壞完成了作品。

總之，在水墨山水創作上，一則用心要輕鬆，思維且放盪在其不拘方法、不具素材、不限工具、不受任何拘束情況下，使心可以任意的想，眼可以任意的觀。所以天下萬事萬物，皆可通過畫家的心，而變爲畫品；二則天下萬事萬物，甚至有與畫全然無關的，相反的與不可能的，皆可助燃繪畫創作之火，此所謂的觸類旁通力量實在巨大。但這種能力祇具高深素養的畫家，才可從不同事物或情況中，藉以得藝術美和創作靈感之專利權，就如說，臨摹本不是創作，又是創作中的大忌，但若是高明的畫家，卻可從臨摹上產生奇妙的創作品，這就可證明觸類旁通的在創作上的神通性了。

第三節　感動與創作

大凡畫家必經感動後而產生創作，若是沒經過感動的畫品必然不生動，更無生命感。經感動的意思是說，這件事經過了畫家的心靈，並深深的引動了畫家的情感。所以經感動而成的畫品，也就是畫家感情再現的作品，自然會生動活現了。其實這一切的一切都已在潛意識之中醞釀著，使畫家隨時可受自然事物的感動而作畫，但這種創作，確實因自然的感動，可稱之謂來自大自然的創作。但並非是大自然感動、觸發，即成創作品，而非寫生。如王履說：「畫家有了對客觀景物的身經目睹和實地寫生，並不等於完成了創作。畫家還必須在身經目睹和實地寫生的基礎上，觸發和深化審美的情意，並把審美的情意和外物的表象熔鑄成為統一的審美意象。這往往需要一個很長的過程。」又說：「既圖矣，意猶未滿。由是存乎靜室，存乎行路，存乎床枕，存乎飲食，存乎外物，存乎聽音，存乎應接之隙，存乎文章之中。一日燕居，聞鼓吹過門，怵然而作：『得之矣夫。』遂麾舊而重圖之。」（註一五）這眞是感動而創作的過程經過談。感動存在寫生，醞釀於創作之中，而它卻負有重大的摧生作用，其重要性可從畫家的經驗中證明。

例如從台灣到法國的畫家朱德群現身說法，大意是說：我想沒有一個畫家不愛自然的吧？可是對於自然，我總是盡情的去感受自然，當我去感受自然時，我的靈魂就會得到感應，得到啓迪，我吸納大自然的元氣，傾吐我胸中的塊壘。從前沉迷在寫生中，差不多三十年，那是練習手與自然親近的關係，現在素描對我已經不重要了。當我去感受自然之時，自然與我之關係是心與心的交流和契合的關係，故現在再去寫生已非從前的心情。練素描的時代，在我作畫時是『成竹在胸』的。所謂『成竹』是表示胸中已有具體形象，現在看來已有成竹，就不必畫了。自從我放下畫了三十年的具象畫之後，我心中已無成竹。而引動我作畫的衝動，是直覺上恍恍惚惚的一片不具體的影像。唯其是恍惚，所以才有畫的必要。若問那恍惚是什麼？我自己也不知道，或許老子在思維上也早已感覺到了吧！他為恍惚下了一個定義說，『無物之象，是謂恍惚』，讓恍惚歸於恍惚。

自然卻時常帶給我很深的感受，我曾畫過好幾幅白色調子的畫，那是我在日內瓦的途中，看到了阿爾卑斯山覆滿了白雪。當雪霧瀰漫之時，雲霧的白和雪山的白，層次分明而充滿了變化。此時，我心中祇有雲霧在白地上移動的景象，以及湧現的層次，心靈似乎也跟著那深淺濃淡的變動而若浮若沉，一下子浮現了很多唐詩的意象，回來就忍不住想作畫。並不是想畫那至美的山，那山巒中一些可見的樹木，這些具體的形象已經被大自然畫在日內瓦的某處了，並不需要畫家再去重複。我要畫的是『我』對它那一剎那間的感受。我想，我此時的心境，就很自然的流露了中國人的本性了。中國畫就是這樣的：祇畫對自然的體念，並不試圖去重複自然，我們很難在中國畫中找出一座一模一樣的眞山，在西畫中則比比皆是。我也如此畫自然，所不同的是中國畫家畫山畫水，久而久之就會形成一些固定的符號，容易被別人因襲，這因襲的人，恐怕不是由於對自然有了感受，不是有感而發，而是無感而畫，這就背棄了中國畫的精神了。同樣的情形，我也畫過巴黎的雪景，那是我站在我畫室的窗下，舉目所見雪覆巴黎之感覺。所以我雖畫巴黎，並不畫巴黎的街道以及街道上的行人等等。」（註一六）

從中得知他都是因觀景而感動，因感動而創作，如「引動我作畫的衝動，是直覺上恍恍惚惚的……」，「我要畫的是『我』對它那一剎那間的感受。」但他所畫出的，並非是他從觀察中的「成竹」，如他說：「日內瓦具體形象並不需要畫家再重複，」巴黎街道也是如此，而祇是從中所得的感受及衝動，「

因感而發」。畢卡索對感動的重要性也說道：「誰也要問我的畫是如何畫成的，對於這種不能用話來講的階段，我希望能達到，這是怎麼回事呢？很單純的，我除從那裡得到感動以外，什麼東西也不想要」。（註一七）

感動並無一定的方法、種類或時間，但新奇和喜悅卻能引發感動的心情。因感動而創作的方法或方向並無定規，且新奇。前面講的行千里路，在這千萬之外的大地裡，所見所聞定都是陌生的，但卻也是新奇的。大凡在新奇的事物上，皆會給心靈一種新的刺激，與新奇感受，這是人人常感覺到的事實，就因在這種特別的感動之下，引起畫家的創作欲望。讓我們聽聽瓦雷利所說的：「有些日子，我經過倫敦橋，我停下注視著我喜歡看的東西：一片富厚，沉重與複雜之水的壯觀，珍光珠氣的瀑布的莊嚴，污泥般的雲朵紛擾，混亂的負荷著一艘艘的行船，白煙湧起，玉臂舞動，稀奇古怪的行動，在空中吹動著球與櫂，使形式生動，使視覺活躍」。（註一八）

當他站在倫敦橋上看他喜歡看的東西之情況下，由這一段話可知，作者眞是位道地的畫家。他的看是以畫家的「心」去看，用「新」的眼，而非全然是新的景，他將心已交給倫敦橋邊的景了，使景物擬人化，將瀑布當作如看人一樣的莊嚴，又將白煙比作爲玉臂舞動，高立在船上的桅桿、線索、白煙，相互交織，形成了畫家所喜愛的形，而不管它們與船的用途有何關係，所以說這是畫之新。就因畫家有這顆新的畫眼，加上倫敦橋上的新奇景象，眞令他喜出望外，因而就引發創作的衝動。《文學藝術心理學》一書中說：「藝術的經驗，能顯示宇宙的一個面貌，顯示一個我們前所未見的面貌，及

一個新的外貌。這個外貌，不是宇宙在正常情形下所出現的外貌。不，它顯示出來的，乃是與此不同的外貌」。（註一九）

在宇宙中不同的面貌，對藝術家來說即是新的，這新的外貌就能給藝術家新的刺激。因刺激，而生感動，或震撼，可產生創作的欲望，再經表現，就是創作品了。再看看他平淡的山水間，能引起他如何的創作動力，上書中又說：「如果偶然間，人在路上，注意到山青水秀，注意到紅花綠水，清風徐來，小鳥啁啾，立刻便爲美感所攫住，在我們當中，喚起一個新的感動，於是乎，在這個時候有某種興奮，強加在我們的心中，使我們停下來，並從利益的題目中，將我們拉出。」（註二〇）新奇實在可以使畫家充分的創作，又如說：「當看或聽見以前從未看見與聽過的美好東西與聲音時，首先是一種新的認知。在認知之中，自然生出一種衝激，在衝激之中，人非木石，不會不產生一種感動，這種感動，在忽然間抓住了音樂家或藝術家，眞的好似一種外力的壓迫。實之，不能不激起一種比旁人更深、更強的感動。」（註二一）再者能引起感動的是喜悅，在酸甜苦辣的感受中，唯有喜悅能引起一種美的滋味。美是快感，美是悅目，美的喜悅滋味雖與聽說不盡相同，然而眞正的快感之美，和悅目的美，才是能感動、能創作之源。例如說：「康定斯基，在看到夕陽進入住室，光影凌亂，雜物輝煌，他的經驗煥然，心情舒暢，拈筆乘興，寫成了第一幅水彩抽象畫，而開了一派新畫的風格。」（註二二）是說任何畫家當注視到任何物象時，若忽然產生一種不尋常的喜悅，就是該情況有了創作欲望之預兆，往往會產生好的作品。這是怎麼樣的一種喜悅呢？我們且聽一聽普魯斯特的敘述：「在路的轉彎時，我忽然感到了這個特殊的快樂，與其他任何的快樂皆不相似；我看見了瑪定味爾的兩個大鐘，在西照的太陽下，我們的車子在轉動著，我感到羊腸小道，在改變地方的樣子……不知道，爲什麼我看到了它們，便會感到這樣的快樂，我設法尋找並發現這其間的理由，我感到非常困難，我曾想將蠕動的太陽光線看守著，並保留在我們的腦子內，而現在不再想它們了。假如我眞的這樣作，大概這兩個大鐘，就不這樣多的樹木、屋頂、香花、聲音聯絡在一起了，我也不會因太陽光線的產生的晦暗快感，而感興趣的研討了。」（註二三）任何藝術家，祇要有過經驗，便會有這樣的快樂產生，它是感覺的，同時又是精神的，這種快樂會時時超越自己的感性，變成一種獨特的快樂活力，而能激發智慧與靈感。並能引發出事物美的形相，所謂點石成金，俯拾即得就因這種現象，快樂活力與事物美連接一起，變成一個無止境的創作活力之源，因此，水墨山水就藉此而淵源不斷的創作了。

畢卡索也說創作上要有他自己的喜悅，甚至不管別人的厭惡。如他說：「或許是我的喜悅—好像熱情在對我吩咐一樣，……或者爲畫得很特殊，故一年之中非要使用蘋果不可，這件事對於討厭蘋果的人來說是何等的恐佈呢？我則把所有喜歡的東西擺進畫面。」（註二四）

感動對創作是極重要的，但它又不是永遠不來臨。不過「感動」祇能爲那有才能並有準備的畫家所引動。正如：「衝擊、感動，並通是來自忽然，來自意外。其實並不是忽然，也不是意外，乃是一種積久的、深藏的印象。由於某一次的深刻注意，而引導出來，油然而生，沛然而至，對那沒有注意或準備的人而言，實不可思議，其實那不過是很平常的事。」（註二五）以上所屬並非寫生的感動，當是創作的感動。寫生的感動是新而速，創作時的感動則是深而厚的，又是不自知的，乃是一種積久的，深藏的印象，但並不是偶然的，則是平日寫生、觀察、記憶等積壓在心底，彷彿忘記，却變成潛意識，這種潛意識在日常生活中、境遇中，偶然的將它混入生活、個性而再引導出豐碩的感動。在趙雅博的《文學藝術心理學》中說：「因為經驗生感動，無感動便無經驗，然而如果感動成為藝術的感動，則不是一般經驗之所能為之；須要有強力的藝術經驗，這強力的藝術經驗，至此，已經很難與感動分開了。我們如果說藝術經驗，便不容易不說藝術感動，如果說經驗即感動，在這裡，我們也必要說：感動乃是宇宙與生活經驗的一種神秘啓示：『藝術家看見……它是說，他的眼通透他的心，深刻的在自然的懷中品嘗。』我同意您，藝術家並不像人看自然，如同給常人所顯示者，因為他的感動，乃是在外象之中，給他顯示出眞正的內在眞理。」（註二六）的確，藝術家不是普通人，藝術家是具有藝術心和藝術眼，能看常人所不能看的，更能感悟他人所不能感的能力，他能在萬物之中與外象之中看到眞正（內在）的眞理，但話又說回來，藝術家雖非常人，但也非超人或神人，他仍是要生活在普通人的生活圈中，也就因為他能在普通生活中見到不普通的新奇事，才是藝術家的本事。所以趙雅博接著又說：「藝術家，如果是眞正的藝術家，絕不會如一般人所想的，關在象牙塔之內，活在世外桃源中，他應很自然地恃著這個經驗，與世界、與人類進入一體。是的，藝術家不是自本自根的，他的藝術經驗，一定要來自被經驗之物，無物便無對象，無對象便無經驗，無經驗便無感動。為此，被經驗之物，一定與藝術家的經驗或感動，在品質上有一個生命的連續，或者我們說這個連續，乃是同性質的。」（註二七）感動，則爲畢卡索創作時一大推動的力量，畢卡索藝術的祕密一書上說：「畢卡索並不把繪畫當作美的理想中各種形態的追求手法，而把它看成感動力很強的傳達手法。」（註二八）其意思是說，大畫家的作畫不是看到事物之美而動筆，而是爲事物深深的感動那一刹那，才是他創作的時候。《藝術學》的作者，日人渡邊护說：「一篇作品不僅給予你快感，而且能深深的感動你，那麼，它對你來說就是傑作。」（註二九）那麼什麼是感動呢？他又說：「它是一種心動的狀態，感動不僅僅是一種精神的受衝擊，同時也是對於對象具有很高的價值感情。而感動又是什麼樣的情況呢？感動是心靈的躍動，而不是不安。毋寧說被感動的人們在精神強烈被動之後，卻因深刻的價值而使心靈得到安寧。」（註三〇）趙雅博在《文學藝術心理學》，對感動說得更中肯，他說：「感動，乃是靈感之前的一種活動；它雖然不能說是靈感的基礎，但如果一個人，絲毫沒有藝術經驗與感動，則很難有靈感的光臨。」（註三一）以上諸家對感動之所論，甚爲正確，畫家無論在何時，若受到感動時，即是畫家掌握創作的之最好時刻；相反的，若無半點喜悅，或興奮的感動情形，倒不要急於動筆，而要再看、再思、再想、再放鬆，期待感動之來臨。

再者，隨著強烈感動而來的是衝動，衝動又促進創作力量。如朱德群對衝動而創作的現身說法在前註一六已說過的：「引動我作畫的衝動，是直覺上恍恍惚惚的一片不具體的影像，唯其是恍惚，所以才有畫的必要。」但衝動中有平靜的思維能力以及毅力，又因繪畫經驗，更使其相輔相成的爲創作而盡力，所以才能有歷時若干年，或十數年才完成的一幅傑作。這與衝動中的即興作品又不同，其創作期雖長而久，但衝動力之引發創作，和連續的衝動力完成創作的「衝動」，對創作都是極重要的。

又如朱德群所說：「別人如何畫抽象畫我不知道，我作畫時，都是我平生壯遊的感覺，有些是當時不能抑止的衝動，有些則是過了很久，甚至以爲遺忘了記憶，而被畫布喚醒出來。所以畫布對我來說，它像是一片有機體一般，不管是被外在的美景、或內在的媒觸所攪動，我祇要面對畫布，感性就會飽滿起來，這時我有點像喝了酒一般，會激情的在畫布上一口氣畫出我那新鮮的第一遍。也許第二、第三遍會乘興繼續畫下去，但通常我是把它掛在牆上，遠一點來審視它。然後畫第二遍，或不斷的補充、修改下去。我想畫家作畫，第一遍就會決定其作品的命運，第二遍也最容易看出他的才情，第三遍之後，要看的便是畫家的經驗了。創作的經驗，就像農夫耕田、工匠建房一樣，是一步一步走向完成的。也好比文人寫文章一樣，先把整篇一口氣完成，下面要作的是修飾，也把漏寫的或錯寫的字改正過來。我也承認有神來之筆，一次就可完成，但那多半是小品，寫長篇、或中篇文章恐怕不容易一次完稿吧？畫大畫、一百號、一百五十號以上的大畫，最少也要兩次。可是我也承認，我曾經有過，增補十次、二十次也不一定可以完成得了的畫。有一幅畫我畫了十年，還不斷在修改呢！偶然想起來就搬出來改一下，這是長期抗戰。但我知道它仍然是一幅可造之材才會刪改它。」（註三二）

這是一個創作過程的最好說明，是說藝術家持著創作精神，久之，即激起一種強烈的創作欲望，而內心又有一種蠢蠢欲試的力量。而思想的、奇妙的、趣味的、精神的、內涵的等等必要條件都有成熟力，而藝術家的內心衝動就有了動力，隨著也產生一種新的價值觀念，這些新的精神價值觀念，一且用繪畫方式或音樂方式將其表現出，即成爲有精神內涵的新藝術品。創作經歷是不會相同的，主觀的畫家們，各有其思想和感受，而客體更會隨著時空和畫家的主觀變化，而產生種種不同的創作品。

總之，水墨山水畫都是得先有感動，而後才能產生作品。畫家因個性不同，感動力和對諸事物看法亦不相同，但其共同點，即是「凡是好畫，必是畫家先有所感之作」。質言之，若沒有受感動，就不會創作出感動別人的好作品。

第四節　時代與創作

當代畫家，若祇畫當代的事、物、文化與思想的話，這是創作與時代性的狹義解釋。如此看來，畫家也僅是處在一個被動的地位，彷彿祇是時代的應聲蟲，其實不然。再以廣義的伸展性來解釋其意義，一位眞正的當代畫家，所畫的必定是當代事、物或文化所給的啓示，否則不是臨摹了別個時代的作品，就是被題目圈住了的時代廣告畫。當然這種時代的畫，並沒有畫家的個性、主權及自由，這就不在本文所討論的範圍之內了。

眞正畫家的創作，理當具有時代性以至於地方性，因畫家是生於此時此地的人，所聞所見也是這個時代的事與物，而創作出來的畫本應當有時代性，尤其因爲畫是畫家的心聲和心事，皆是因爲感動而創作的。換言之，能感者，必定是畫家親眼所睹的，親心所觸的。凡現實且平凡的或驚心怵目的事與物，都會給予畫家不同凡響的啓示、感想、激動，或幻想，因而會創作出爲人懂或爲人所不懂的繪畫，這都是時代性的產物。也必是這個時代中的地方性（地方性有時存在，有時延伸到國際性、地球性，已是無法限制的，主因爲科技、交通、資訊的發達，已無地方之距離性了）。這也正如馬諦斯所說：「……無論我們是否情願，我們總歸是屬於我們自己的時代，同時也分享著時代的意見、偏愛與幻想，所有的藝術家都帶有他們所屬時代的印記；而偉大的藝術家所帶者尤其深刻，無論我們是否甘願，在我們的時代和我們的自身之間，早已存有一個難分難解之結。」（註三三）同書又說：「藝術家的使命，就和專家、學者的使命一樣，都在於深入所周知的眞理，祇不過眞理呈現出新的一面時，他能在它們最深刻的意義之中，把握到它們而已。」（註三四）

時代性與寫實抽象或其他都無關，也就是說，畫家的創作是出於畫家的心中之感受，並不是畫上所表現出的物象、事實、故事及形表，也不能完全表現其時代性。若是刻意去畫當代的實物、實象、實事，這都違背了創作心的飛動和想像心的奔放。因爲創作必須得順其自然的，讓當代畫家在不期然而然之下，流露其心聲，這心聲就是他的時代性了。

眞正的創作品都是帶有時代性的，但有的是隱性的，有的卻是顯性。且每位名畫家的生平中，總會有些屬於顯性的，有些是隱性的，這全在於畫家當時所表達的方式而定。所表達的顯與隱，又不能代表畫家創作的強弱，表達能力之高低。就顯性的畫家而言，在中外歷史中比比皆是，例如宋代愛國畫家鄭所南，因他熱愛他的大宋，他無法忍受異族對大宋江山、百姓心靈的凌辱，所以他一心一意希望廣集天下志士，揭竿而起，驅除韃虜，中興大宋，但始終事與願違。因此他的心志，感觸與思維都凝聚於詩、書、畫中，所表現出來的，全是他心中之所願。如他畫蘭不畫土，喻爲大宋已無江山了。如他的偶成詩：「『劍氣熒熒夜屬天，忍對禾黍廢蒼煙，夢中亦中同朝廷事，詩後唯書德祐年，花柳有愁春正苦，江山無主月空圖，如今好棄毛錐子，望北長驅馬一鞭。』、『力不勝於膽，逢人空淚垂，一心中國夢，萬古下泉詩，日近望猶見，天高問豈知，朝朝向南拜，願覩漢旌旗。』、『有恨長不釋，一語一酸辛，此地暫胡馬，終身祇宋民，談書成底事，救國是何人？恥見干戈裡，荒城梅又春。』」（註三五）

藝術家感情是最豐富的，心靈也是最敏銳的，所以藝術家的素材本是他自己所接觸到或親身所經歷的事或物，若是生長於受異族欺辱並在亡國邊緣的宋朝，作家若心靈感受不到「靖康之恥」，卻祇是風花雪月或歌功頌德、歌舞昇平等等，這種作者不是聾子即是瞎子，或祇是痲木不仁的呆子。鄭所南因愛國之感，作出露根蘭和詩文。再如李後主的亡國塡詞：「多少恨，昨夜夢魂中」、「無奈夜長人不寢，數聲和月到簾櫳」、「是離愁，別是一番滋味在心頭」、「夢裡不知身是客……獨自莫憑闌，無限江山」、「故國不堪回首明月中」。亡國恨，思鄉愁，一字一聲，都是一位亡國之主，依當時的實景實情而寫，都沒有拌雜著半點爲宣傳而作畫，或爲廣告而作畫的意味。

再如浪漫派畫家（法）德臘庫瓦的作品《領導民衆的自由女神》（圖十一）。這一幅畫是描寫一八三〇年，法國「七月革命」時巴黎市街打仗的情景，這並不是眞的「七月革命」的寫實，而是依著

「七月革命」這回事而想像出來的造形，卻是一幅代表當時實情，象徵時代性的繪畫，不過眞正打戰時是可怕的，但這幅畫所表達的意念是爲爭取自由而作象徵性的打仗。圖中左手執短槍，右手揮三色旗，在領導民衆前進的少女，並不是眞實的人物，而是天上的神靈，被命名爲「自由神」。跟在她後面的許多人，並不是兵士，有的是學生，有的是商人，有的是工人。可見到一個兩手持著手槍的青年，和一個戴禮帽卻持著長槍的男子，他們則是因受到束縛，不得自由而打仗。用這巧妙的畫法，使衆人週知是天命神女領導而戰，是一場爲自由，爲救人類，而趕走當時的凶惡無道的查理十世以及其爪牙而戰。此畫的題材，充分表現人間的熱情，更可顯然的看出時代政治的變遷。像這樣的繪畫已十足說明是當代革命情況所反映出來的創作品，全是因感而發，並非是政治上的宣傳品，愛國家、愛自由是人的天性，更何況是特別敏銳的畫家呢？存於內，行於外是非常自然且正常的表現。

再以畢卡索爲例，在劉文潭的《藝術品味》一書中對「顧尼卡」（Guernica）這幅畫創作之動機與時代的關係，其說：「畢卡索在三十年後（一九三七年）所完成的另一件作品：『顧尼卡』。這幅畫產生的經過大致是這樣的：一九三七年時，西班牙境內正在發生革命，當時畢卡索應西班牙民主政府之請，在設立於巴黎萬國博覽會的西班牙館中，畫一幅具有代表性的壁畫，他受聘數月，因爲缺乏靈感，以至遲遲無法動工；突然之間，消息傳來，說是西班牙境內顧尼卡城中一個毫無防禦設施的小鎮巴斯克（Basque），被大量的德製實驗性炸彈而夷爲平地。原因是佛朗哥將軍（General Franco）爲了奪權，竟喪心病狂的引狼入室，准許希特勒在顧尼卡城，任所欲爲地炫耀其兵力。在戰爭史上，這算得上是地毯式轟炸的第一遭，且轟炸是在晚間進行的。據目擊者的報導說，整個鎮上七分之一的人，都在當晚變作了彈下冤魂！畢卡索被這個慘無人道的行動所震驚，他對受難的同胞深感哀悼，同時也對殘暴的政權表示抗議，於是他集中精神，傾其全力，創作出這幅爲維護人道，反抗戰爭的巨構—「顧尼卡」。當時他毫不保留地宣稱，這幅畫是爲了反抗「殘暴和黑暗」（brutality and darkness）而作的！

現在，讓我們進一步來看畫的本身吧！這幅現存於美國紐約的現代藝術館（Museum of Modern Art）中的巨幅壁畫，其高十一英尺六英寸，寬二十五英尺八英寸。在畫的最右邊，爲狀若舞台的空間裡，一個衣衫著火，攘臂驚呼的婦女，從失火的屋子裡出現；另一個衝向畫面中央的婦女，拖著沉重的雙腳，兩臂攤開，顯出一股緊張無奈的神情。畫的左方則是一個仰天嚎啕的母親，抱著一個已經死去的嬰孩；地面上散置著半個士兵雕像的碎塊，右手緊緊地握著一柄斷劍，而在劍上居然還開出了一朵象徵幸福與歡樂的小花！畫的中央是一匹折膝膝將死的馬，牠的腹背，被一隻短矛所貫穿，正力竭聲嘶作最後的掙扎（畢卡索說，他是以這匹馬來象徵被戰爭蹂躪的平民）。靠近馬首的右邊，是一隻身受重創、即將下墜的鳥；再左邊，則是一頭冷酷而凶狠的牛（畢卡索說，他是以這頭牛來象徵納粹的殘暴）；馬頭的上方，有一隻雪亮的眼睛，這隻眼睛的眸子，則是一只電燈泡！在眼睛的右前方，一間房屋的窗戶裡，伸出來一個婦女的頭，他一手拊胸，一手舉燈—眞理之燈（the lamp of truth），吃驚地目擊這場人間的慘劇。」（註三六）畢卡索並不是這場戰爭的特派畫家，他祇是無法忍受這不人道的殺人戰爭，他也無法視而不見這炸彈下的冤魂，身爲畫家的他，更沒有辦法不去畫它，所以就心不由己的畫出這幅反抗「殘暴和黑暗」的作品！

總之，明顯的表達時代的實事實物，時代性的作品，中外實例之多，不勝枚舉，也都是作家心中先有感動的作品，並沒有什麼被動，及爲什麼而作或爲什麼驅使而作，而全是作者親身所感的心聲。時代性是很自然的事，但也有許多具時代性的作品，從畫面上並看不見，但卻是含在內部，因同樣是畫家受感動，被啓示後的眞情流露，並非是無病呻吟之作，皆是時代性的作品。換言之，作品若是不具有時代性，則多是臨摹品，或是不曾動過感情，麻木不仁的工匠畫，若是如此，這也稱不上是什麼藝術品了。

第五節　靈感與創作

創作是藝術家夢寐以求的理想，是終身所追求的目的。爲達到目的，不惜一切手段，用盡一切方法：如寫生自然、讀書萬卷、行路千里、養心修性，或者放蕩江湖，置身深山，醉酒忘我或以咖啡提神，皆無非是爲了創作。寧可貧困潦倒，而不願改行，可謂死而後已。可知創作對藝術家是何等寶貝貴重，甚至勝過生命！

創作即是新意，有新意者既無因襲也無雷同，爲全然新貌。此貌即如是知心舊友，有至上的親切、吸引、生動、自由、驚心、動魄、新鮮而溫馨，明晰而高貴，以及至眞、至誠、至善總和而成之美的作品。創作之美品是如此可貴，天下藝術家窮其一生的追求它是值得的。

《三國演義》中諸葛亮借箭，萬事俱備，但不可沒有東風。萬事俱備是人爲，而惟一的東風卻是神力，是中國人常道的「天人合一」。任何事物若能天人合一，就無一事不成，繪畫藝術之創作也是如此。這個東風即是靈感，靈感者、東風者，是天賜也、神力也。但靈感是什麼？凡嚐過靈感滋味的藝術家又如何述說靈感？有靈感的創作又是什麼相貌？柏拉圖（Plato，西元前四二八—三四七）在《裴特祿斯》對話裡說：「有一種迷狂症是詩神激動起來的。她憑附一個心靈纖細而純樸的人，而激發著狂熱，喚起詩的節奏，使他歌詠古英雄的豐功偉業，來教導後人。無論是誰，如果沒有這種詩人的狂熱而去敲詩神的門，他儘管有極高明的藝術手腕，詩神也永遠不讓他登堂入室。」（註三七）亞利斯多德（Aristotle，西元前三八四—三二二）說：「詩乃是神的靈感所激發的。」（註三八）

神的靈感激發別人，靈感自然是來自神的了。雕刻家羅丹作《流淚的猶太人》時的經過，自他的《回想錄》裡說：「有一天，我整天都在工作，到傍晚時正寫完一章書，猛然間發現紙上畫了這麼一個猶太人，我自己也不知道它是怎樣畫成的，或是爲什麼要去畫它。可是我的那件作品全體便已具形於此了。」（註三九）這裡是靈感來時，人是不知疲憊的，如羅丹即是在他作完一件創作品後，他才發現自己又創作出另一件來。尼采認爲靈感是一種迷狂，他說：「儘管我們不應再有一點點迷信，保存在自身了，但說眞的，我們也不能禁止我們有一個觀念，認爲靈感只是上方能力的化身，代言人與媒介。」（註四○）說靈感是一種超乎人力以上的上方能力。貝多芬寫說：「新的，原始的，不用人們想它，便可以由自己產生。」柴可夫斯基（Tchaichowsky）寫說：「一般說來，一個屬於音樂的未來創作的種子，乃是忽然而生的，並且也是一種想不到的方式。如果土地肥沃，如果人們準備好了工作，種子是有力而帶著驚人的快速長出來的，藉著一個很小很小的莖子，出現在地面上，生枝長葉並開花，我覺得這個比喻最彷彿創作過程的描寫。如果種子適時工作，主要的困難就算克服了，其餘就自行生長了。」（註四一）「維尼認為：詩人有一個由自然而來的恩惠：『他在群星上，看見主所指示的道路。』」雪萊也有同樣的想法，他認為：『詩實在是一種天啓；詩人在傳遞神的一種福音。』德國的文學大家歌德也這樣說：『一切有崇高價值的產品，一切有價值、有成果的巨大思想，都超出個人的能力之外，而顯示著鬼神的工化，它富有一種上面的力量，讓人們成為神鬼的願望人，並在不知不覺間，讓步給他，使他相信是自己的成就。』」（註四二）以上諸位名家認為靈感是一種神助。

一位西班牙名詩人路易拉，在自己詩集上寫了一篇序，其中有：「在一個不能成眠的夜裡，在我的腦海裡，如同一個外在的世界光臨了，使我有這樣的一種想法。它給我帶來了一個負有使命的浮動詩句，咿唔與嗜啞，往復迴環不停，……它們不是被人發現的，而是親自光臨到這裡來的，它們好似是天使的一種提醒。沒有，眞的，我並沒有寫這些詩句……我祇是接受了它們，我祇是用我整個心靈把握住了它們，我的心靈是向著天上甘露開敞著的。我們的主，在同樣的時候，給我遣發來了歌詠與神見。如果有一個人，具有超絕的靈巧，會將它所接受來的思想，通過並表達給人們，這是何等的美

好！在這一點上，我時時感到我的微不足道，微小而又出奇的微小！」（註四二）

由以上諸多外國的名著作家，在創作中確實經歷到了「靈感」，並且足足證明「靈感」眞的是存在的，而對創作是既神奇又重要。靈感的出現在作家面前，是突然的，是主動的，帶著佔有性、攻擊性的，所以使作者往往應接不暇，招架不住，自嘆微小，自感受其擺佈……。但作家卻日夜在追尋著它，苦苦等待著它，因爲它太重要了，它是作品的催化劑，凡經它催出的作品，又必是神手中的逸品，美得無比。

靈感是人力之外的那個東西，飄忽不定，如風、電、火、洪水的狂奔，靈感是狂、怪變，是神的靈、神的能。杜甫直接稱靈感爲「神」，他說：「讀書破萬卷，下筆如有神。」孟子則稱它爲浩然之「氣」，有人也稱她爲「潛力」。蘇東坡說它是「行雲流水，行乎其所當行，止乎其所當止，沛然而莫之禦也」。這麼說來靈感，好似是與生俱來，祇是潛在身體的某部分，而不常出來罷了。但又似突然來自神明的能力，根本不是人力可爲的。靈感的來去主權在於神，但作者要與神和好，將天賜之靈的源頭接到作者心源，使人的心源能時時吸取神的靈源。當然這是作者意所願、心所求的，但能行得通嗎？不是一廂情願而夢想了嗎？不過不試又如何知道他祇是夢幻呢？試想，我們不是都承認人有潛意識、潛在的能力嗎？有更多學人認爲潛意識與靈感是相同的東西，是說我們體內根本就存有那種能力。如趙雅博在《文學藝術心理學》裡說道：「有人說靈感是神之所賜，直接來自神明，並且是特別由於神的賜予。也有人說它是一種潛意識，是一種超出理性控制的力量，是一種性的昇華。是……是

……總是人的特別力量。」（註四四）

從上一段話中，說明人的體內存著一股特別力量，其實在人的整個有內部，這個「有」是包括看得見的血脈筋肉、心跳、腦動……、精神，在人類已知元素中，也包括許多不知名的元素，如所謂靈感，那股強力，那種衝力，本根，內在的火，潛意識，神力等。是神放置於我們心底深處，又祇因它一生中出現的次數不多，所以也被人們忽略了，自認爲我們就是這麼一個平凡人；一旦出現了，又認爲那是天賜的神力，或者說那僅是幸運的天才方可得到的。實際上，出現的次數少，並不證明它的不存在，它的無，相反的是它的有，並且每人都有；它是潛在深處的那個意識或那股力量，即使潛得再深、再底，它仍是存在的。再者，祇要我們肯去挖它，還是會被挖出來的，並且還得時時注意它的出現，留住那股力量，發揮那股強力。這個力量每人都有，但因人之所向不同而名稱也不同；對藝術家稱靈感，對運動家而言，是超越常人或自己體力之外的力量，或稱神力；對發明家而言是天才、神童……。再者聽一下皮爾博士說了一個事實：「德克薩斯州某地住著一個老頭子。他有一座小小的農場，每年出產無多。他一生就靠那農場上的出產，過著極其儉樸的生活，直到老死。那片地在他去世後賣給別人，新的場主要鑿一座井。不料，鑿探下去竟發現了油藏。當然，地下的油原來就在那裡，祇等有人去鑿探、去開發。我們許多人就像這樣過了一生，而世間所能想像得到的最豐富的富源就在我們的腳底下，可惜我們根本沒有去探索、開發。」（註四五）這個油田如同我們心底的靈感和潛意識，我們不能讓它永遠埋著。當然它並不像油田那麼容易、肯定、具體，而且它是飄忽不定的，是神出鬼沒的，是去無定時、來無形蹤的靈感。但仍得要去追尋，追尋總比等待有希望。

第六節　化腐朽爲神奇

繪畫創作是煞費心血又艱澀的工作，其路程是遙遠、無邊，其方法又無定規，會因心因時而改變者。就因此，創作才會千變萬化，也能生生不息。就爲此而立志畫畫的人何止千萬，但能成功的也不過二、三。但是在創作的艱澀之中卻也有甘美，在路程遙遠中而有盼望；就因法無定規，更令畫家勇於挑戰，何況已有前賢得心應手或下筆如有神的成就。故令每位畫家都深深知道，只要能通過千辛萬苦，必能達到出神入化、得心應手的地步。到那時，萬象萬物無一不可入畫，就是腐朽也能化爲神奇。

就畫家而論，只要有生命即能創作。眼看的能創作，耳聽的也同樣能入畫，這也是杜甫的讀書破萬卷，下筆如有神的地步了。下筆有神、出神入化，都已達到有神幫助的境地，那豈不得心應手，還會有什麼不能畫出的呢？

如朱光潛在《文藝心理學》中所言：「你只要有閒工夫，竹韻、松濤、蟲聲、鳥語、無垠的沙漠、飄忽的雷電風雨，甚至於斷垣破屋，本來呆板的靜物，都能變成賞心悅目的對象。」（註四六）這些現象不都是我們常聽、常見，日常生活中極其稀鬆平常之事嗎？怎會知道它們能是高貴的畫題呢？即是現在知道了，也無法將它們變成感人的畫作啊！類同意義不止一家是出其眞諦，再如：「有意義的事件，無意的瑣屑，一草、一木、一顰、一笑、一步、一轉、一點紅綠、一絲風響、一片光彩、一聲晚鐘，水波綴光、山青天碧、枯藤、老樹、昏鴉、古道、西風、瘦馬、夕陽、暗山、頹垣、敗屋、殘語、悲鳴、雲景、白衣、蒼狗，多了寫到死亡，仍是無法罄盡；一個強烈的哲學思想，一句美麗的鳥語人言，斷橋下的流水潺潺，枯木中的三籟喁喁，都可以激起美感的心音。」又說：「從書本裡，從記憶裡，從文藝創作或成品中，從技巧的實現或練習裡，這練習可以屬於自己的，也可能是屬於他人的。或從專家的贊許或責備內，或者從錯的誹謗與攻擊中，都能獲得它的興起。……有時還可以從自己所厭惡與相反的作品中取得。」（註四七）

英國詩人勃葉克說得好：沙粒之中觀宇宙，野花朵裡見天堂；用手掌握無限，剎那捉住永恆！而中國古諺也說：胸中自有丘壑。這種神之又神的能力，都是對中外大師們的寫照。確實成熟到俯拾即得，點石成金，即是腐朽也能化爲神奇了，化神奇的實例不勝枚舉，如中國畫看敗壁成畫。宋迪曰：「此不難耳，汝當先求一敗牆，張絹素訖，倚之敗牆之上，朝夕觀之，觀之既久，隔素見敗牆之上，高平曲折，皆成山水之象，心存目想，高者爲山，下者爲水，坎者爲谷，缺者爲澗，顯者爲近，晦者爲遠。……默以神會，自然境皆天就。」（註四八）畢卡索見魚骨頭變爲作品，其意是說：「畢卡索將吃剩的魚骨頭，用力的壓進陶器盤上，再上釉藥，拿去燒了以後，一個美麗的盤子便成功了。世上不知有多少人吃魚，其中沒有一人，將魚骨頭燒在盤子上爲裝飾，沒有人有這種優越的遊戲精神，對於普通人來說，在吃完魚的瞬間，還是無用的存在。但畢卡索卻能從那個瞬間，使一切又重新開始。」（註

四九）

普普畫派更是將稀鬆平常的可口可樂瓶子排列起來成爲新奇感人的藝術品，是說：可口可樂，至今已是風行全球的飲料，可口可樂的瓶子，可以說是俯拾皆是，但是我們會不會像普普藝術家迪瓦河（Andy Warhal）那樣，將一百一十二個可口可樂瓶子，以七排十六行的隊伍集合在一起，並使可口可樂的英文商標「CoCa—Cala」居前率領，由是而形成了一幅別開生面的圖：「綠色的可口可樂瓶（Green CoCo—Cala Bottles）呢？」（註五〇）還用破報紙、爛布、舊電線、鐵片等等皆能變成美好的藝術品。不論現代的歐美，就以東方的日本其抽象畫中的素材主義來說：「此派企圖拓廣繪畫的物質材料，不受繪畫物質材料：畫布和畫具的限制，採用石膏、麻布、紙屑、木片、鐵線、玻璃等各種材料作爲作畫材料與工具。」（註五一）不僅任何好壞事物都能引起畫興，就是任何素材皆能入畫，就以工具而論，也不再限於筆紙，畫法更無古法、今法或任何流派的限制了。在這大自由之中，只要畫家具備思想和能力，也就沒有什麼腐朽不變爲神奇了。

常言道：熟能生巧，巧即是熟中創新，熟成左右逢源，熟到神化。齊白石說：「胸中富邱壑，腕底有鬼神。」其意思是說，畫家心靈成熟到，凡看見什麼東西都能成畫，像有神助一般。中國大陸近代畫家李可染，他將這萬物皆爲畫，化腐朽爲神奇的工夫上，說出了一點方法。如李可染在《李可染畫論》中所講的畫家：「深入生活實際，將素材加以概括提煉，在共性的基礎上發揚獨特性的藝術法則。在藝術素養已經成熟的基礎上，敢於『刪去臨摹手一隻』，敢於談論性靈、發揚個性的藝術家。」（註五二）李可染對意境的解釋說道：「……是客觀事物精粹的集中，加上人的思想感情的陶鑄，即借景抒情，經過藝術加工，達到情景交融的美的境界、詩的境界。」（註五三）有意境即有創作品，意境是藝術的靈魂。而創作是借景抒情，並非有景或事，有如此美如何入勝，而是內在的「情」是如何的美或如何的入勝才能成畫，而化腐朽爲神奇，也全是由有情的心，並非是人人即可見的美景，甚至是最平凡的、無用的、人常棄的、所謂「腐朽」的，當然也包括共識是美好的，畫家就有將它變爲畫的本領。

在以上所論或例舉的名言、名家的方法中，雖能體會到許多啓示與畫法，但在信心和能力上，尚有許多力不從心之感，眞所謂「看似尋常最奇倔，成如容易卻艱辛。」確實，山水創作歷程是遙遠的、艱辛的，尤其畫家的心是要經火煉、石磨、油煎……畫家自己變成點石成金，又能使萬物點石成金。舉實例爲佐證，並由艱辛、苦思的歷程中，進到出神入化、得心應手，達到不僅是有物即爲畫，更能到了有生命（畫家）就能創作的地步。

中外成名的畫家，都經歷過艱辛和苦思，如是一階階的俯伏前進的，先就現代畫家現身說法的實例中探索起，如楚戈在朱德群面前坦誠的說：「可是我作畫經常失敗。……我得承認我經常撕毀我第一遍未完成的畫。」朱德群說：「楚戈，不要認爲只有你才有這種經驗。一個誠實的畫家，或是一個對美術有見地的畫家，都可能遭遇到和你相同的處境，我自己就覺得從前糟蹋了不少顏料和畫布。一直到最近四、五年來，我才覺得自己有把握畫點東西出來。等你有時間專心作畫時，這情況很快就會改善的。記得有一位青年畫家，向一位名叫維雍（Jaegues Villon）的老畫家請教作畫的態度，老維說：『作畫要有耐心，並且要誠實的工作。最難的第一個六十年，換言之，你要在六十歲以後，才能得心應手，眞正畫一點自己滿意的畫。』這番話，我覺得很有道理。」（註五四）

從上述中得知了許許多多的畫家都經過無數次的失敗的，並慶幸失敗在創作的里程上都不是白費的。朱德群又說：「在我五十年的繪畫過程中，我也曾在第二遍就把一幅畫改壞掉了的經驗，雖然使人懊惱，但也絕非浪費，因爲它可增加「作」畫的經驗，可以避免下次把一幅稱心如意的畫改糟。所以經驗就是繪畫的技巧。……」又說：「以我的經驗來說：過去我雖然知道作畫要畫的是自己的感覺，然而，要把感覺畫出來，談何容易？我只是很努力的用油彩、線條去追求我的感覺而已，拚命的畫，雖然有時也能碰巧畫出了一點東西，但是往往要等半年，甚至一年以後，經過慢慢的體會，才能把這種感覺表達出來。這樣畫了二十年，今天，我總算可以把心中的各種意趣，幾乎能夠全盤托出，現在才感到可以自由地表現出心中所要表現的東西了。」（註五五）趙無極也說：「一直到現在，我還會在一張未完成的畫布前，一畫數小時，雖然辛苦，但也感到極大的快樂。就這樣，在緊張、快樂和疲憊得視線模糊的眼前，我看到一個空間逐漸成形，終於成爲我想表現的。」趙無極又說：「五十年來，日日沉緬於斯，已成爲一種生活儀式，將我引入另一個世界，在這個世界中，我希望創造一種秩序，這有時易如塗鴉，有時又艱澀無比，眼前一片空白，祇看到困頓、挫折或一些面目可憎的老套畫法。」（註五六）現代畫家面對畫布或畫紙，絞盡腦汁，用盡心思，而古人亦然，如說：「紙如大地，心如水銀，遇孔即出，隨空而入。未畫之先，不見所畫，即畫之後，無復有畫。」（註五七）艱辛、苦思、磨練在畫家的創作成熟度上，不僅必要，且是有益處的，也是凡事物皆畫材，點石成金到出神入化，得心應手創作之橋樑。而艱辛和苦思之中，畫家在做什麼呢？此時的思維即是在運行創作上的種種醞釀工作。一幅創作品，尤其是大幅作品，不只是靠感興而創作出，更得靠長期的醞釀才可。若不經醞釀，往往會形成浮滑之弊。如說：「思路太暢時，我們信筆直書，少控制，常易流於浮滑；苦思才能剝繭抽絲，鞭辟入裏，處處從深一層著想，才能沉著委婉，此其一。苦思在當時或許無所得，但是在潛意識中它的工作仍在醞釀，到成熟時可以『一旦豁然貫通』，普通所謂『靈感』大半都先經苦思的準備，到了適當時機便突然湧現，此其二。難關可以打通，平路便可馳騁自如。苦思是打破難關的努力，經過一番苦思的訓練之後，手腕便逐漸嫻熟，思路便不易落平凡，縱遇極難駕馭的情境也可以手揮目送，行所無事，此其三。」（註五八）

又如馬諦斯說：「我終必會放過那些一興即逝的感覺，它們不僅不能妥當地確定我的情感，甚至於到了第二天連它們表示的是什麼我也會弄不清楚，我期望達到一種感覺地凝聚狀態。由凝聚的感覺構成繪畫。也許我會暫時滿意於一件一揮而就的作品，但是很快地我便會厭於再顧；因而我寧可對它繼續加工。像這樣，即使到後來我也能夠認清它是我的心靈底作品。在過去，曾經有一度我從不肯把我的畫懸留在壁上，因爲它們總是提醒我神經不安的時刻，而當我平靜下來之後，我便不高興再見到它們。如今我試圖把沉靜加入我的畫中，直到我感覺成功了方纔住手。」（註五九）同樣馬諦斯也喜歡一揮而就的即興作品，卻意願由凝聚的感覺構成繪畫，又願寧可對它繼續加工。這都在說明他在創作的靜思斟酌，醞釀深厚、深融的工夫。「試觀古人傳作，初展時見其筆勢飛動可喜未見以盡其妙也，當細玩其深厚渾融之氣，不知幾經蘊蓄陶鑄而後得此者。乃今學者或自喜才情富有，或自矜筆意飛揚，卻任意掃掃不自顧惜，到後來不覺入於油滑佻健，其弊一成，畢生莫挽。」（註六〇）醞釀中的苦思、艱辛實爲重要，「所謂醞釀者，斂蓄之謂也。」（註六一）水墨山水畫若能達到醞釀，斂蓄的地步，即已到登峯造極的工夫了。因能斂蓄就能使意境深奧，神韻生動又厚重。如何醞釀或苦思些什麼呢？即是：停筆靜觀，澄心抑志，細細斟酌，務使輕重濃淡，疏密虛實之間，無絲毫不愜意。而是腐朽也變爲神奇！

總之，水墨山水畫家的心與眼，在創作上得異於平常人；畫家是顚倒黑白者、無中生有者更是能將腐朽化爲神奇者。也就是說，曠野中有山水，都市裡也有山水，敗壁朽木上有山水，破鐵爛銅或廢棄的東西，或稀鬆平常的常見物，皆可經過轉化，編補變成水墨山水畫（包含抽象的），而就現代電視、汽車等工具、器皿或各類包裝盒，也都無不有突發其想的山水畫創作，實是：疏密虛實之間，無絲毫不愜意，而是化腐朽也變爲神奇。

第七節　出神入化得心應手

出神入化、得心應手之創作，是創作高峰的極致。畫家經千辛萬苦而達到成熟，得心應手之創作情況，正所謂：「機神所到，無事遲迴顧慮，以其出於天也。其不可遏也，如弩箭之離弦。其不可測也，如震雷之出地。前乎此者杳不知其所自起，後乎此者杳不知其所由終。不前不後，恰値其時，與與機會，則可遇而不可求之傑作成焉。又能絕去人爲，解衣盤礴，曠然千古，天人合發，應手而得，固無待於籌畫而亦非籌畫之所能及也。」（註六二）

畫家的心和技藝都已成熟，熟到生巧，深到下筆如有神，能與天地化一，神人結合，靈氣無窮，隨心所欲，脫腕而出，出神入化，得心應手皆創作。其順心如意度正如清朝沈宗騫所說：「人有是心，爲天地間最靈之物，苟能無所錮蔽，將日引月生，無有窮盡。故得筆動機隨，脫腕而出，一如天地靈氣所成，而絕無隔礙。雖一藝乎而實有與天地同其造化者。要知在天地以靈氣而生物，在人以靈氣而成畫，是以生物無窮盡而畫之出於人亦無窮盡，惟皆出於靈氣，故得神其變化也。」（註六三）創作達到出神入化，學者之理論已如上所述，而畫家的創作心路，爲「畫必孤行己意，乃可自寫吾胸中之邱壑。」（註六四）趙無極說：「驚嚇與恐懼，少年時期的矛盾、遲疑，以及以後的漂泊、挫折、痛苦與悔恨，到了六十歲，我終於隨心所欲的，在畫室的一片靜寂中享受單純的繪畫之樂。」（註六五）「年紀大了唯一的好處是，我可以不費氣力的畫，輕鬆自在的表現出我內心的感覺。雖然一天下來，仍會累得動彈不得。」（註六六）朱德群說：「我總算可以把心中的各種意趣，幾乎能夠全盤托出。」趙無極和朱德群他們都說出已達到得心應手，欲所欲爲的自由境地了。

換言之，凡事物皆可畫，全身都是畫，只要有氣力，每日撿黃金。成熟的畫家至如此得心應手的創作，主要因畫心能通靈所致。但不可否認的，得心應手的創作，並非不再苦思和艱辛的醞釀，是隨時隨地緊緊伴著畫家的，此時的創作都是畫家在運用思想，畫家的主觀性特重，已不再是寫景寫生，或靠藉外物的激發才創作，而是去寫畫家思想的湧流了。各個畫家思路不一，所以創作的方法和現象也各異，但從中卻可得到許多的創作啓示。如畢卡索的繪畫創作，他說：「一幅畫不是想出來的，而是預先設定的東西，那是在製作之中，隨著人思想的改變而改變，而且，即使已經完成，也會隨著某一個觀者的心境而繼續改變，一幅畫是根據每天的生活而去體驗我們面臨的變化，像一個生物那樣地生活，這是十分自然的事，因爲繪畫只是由於觀者而存在的。」（註六七）

這裡面說，一幅畫是由著「觀者」的心境而繼續改變的，這「觀者」不全是指的是觀賞者或鑑賞者，而是指作畫的畫家，每天面觀未完成的作品，左觀右看，每天或多日，隨著作者的心境，將自己認爲當改的、當加減的，隨時改變之。作品多是主觀的，尤其是畢卡索的更是隨心所欲的主觀作品，他何去管別人欣不欣賞，或懂不懂呢？

畢卡索他還有一種創作方法是破壞及向自己挑釁。先看他的挑釁法，他說：「你在著手一幅畫的時候，常會發現幾個美點，但你對這些美點非要警戒不可。破壞物體罷！多幾次也得做，當美的發現破壞的時候，藝術家實際上是不能再忍耐了，於是將之變形、凝縮、弄得更堅實，最後做出的東西乃是只見到第一次的發現的結果，此外，你變成自己的鑑賞家，我則只多對自己挑釁罷了。」（註六八）

這裡的創作方法是，畫家將自己看到的美點，感人之處，自己給破壞掉，使得畫面糟到極點，自己都無法忍耐，逼自己到死路，挑釁自己，但他以絕處逢生的方法，再去變形，畫了再畫，最後，仍是一幅好作品，並且仍是第一次所發現、所感人的好結果。而他另一方法是破壞，他說：「過去繪畫目的是發展的完成，每天捉住一些新的東西，一幅畫就是加法的解答，然而現在我的情況，則一幅畫乃是減去的答數，我畫一幅畫……然後將之破壞，然而到最後什麼也沒有失去，某處拿掉的紅色會在其他的地方出現。」（註六九）又說：「亨利．喬爾哲．克魯乍導演過一部電影叫「畢卡索．天才的秘密」，把畢卡索這種秘密巧妙而活生生地展開在我們面前，在這個電影中，畢卡索正在進行的作品，很仔細地拍下來，使人們可以看得很清楚，例如人物出現很多的海濱風景，一步一步地完成的樣子，清清楚楚的被捕捉在銀幕上。

看的時候，那海濱風景的明確形體漸漸地出現，在混沌之中浮上來，不久便結束於某個地方，就在我們都幾乎以爲完成的時候，畢卡索突然砰的一聲，把一種想像不到的點與線投到畫面去，當然，這一下好不容易畫成的畫面便完全破壞了，這時畢卡索就以新加的點與線作出發點，努力造就新畫面的秩序，不一會工夫，完成了和剛才幾乎完全不同的新畫面，但事情並不就此結束，在出其不意的時候，畢卡索又把一個人物畫進去，使辛苦畫成的畫面再度破壞掉，接著他又重新著手新的畫面構成。

畢卡索不僅止於破壞委拉斯貴支（Diego Rodriguez de Silva Velazquez，一五九九－一六六〇）的作品，自己創作的作品也在破壞之列，不斷的製作再破壞，這種過程不斷地反覆，同時作品也在這時候完成，我的作品是靠破壞的聚集而成立的。畢卡索這樣的斷言決不是故意標新立異的，反過來說，我們看到的每一幅畢卡索作品深處，不知隱藏了多少永不見天日的作品。」（註七〇）

在這破壞式的創作法，也是向自己挑釁，製造許多難題，再去發展創作、修改變化將他自己的智力、才華用盡爲止，如此他的畫面幅幅都會不同，並且是出奇的、無章法、無跡可尋的，在他的欲所欲爲，法中又無法的能力下，創作會更格外新奇且生動的。此法僅是畫家自己心聲的流出，若照此方去畫，而畫出的作品與畢卡索的作品，決不相同，也不是說你不如他的作品好，這並不一定，也許會比他更好，若是你的畫思與心境比他更深更銳，一定比他的作品會更好。

總之，出神入化得心應手，已是創作成熟的顚峰期。無手無法全是心，又見無心無意全是手，或爲手心不分全是神；創作情況如在靈感中，隨心所欲，左右逢源，輕鬆自在，遊戲玩耍，不計題材顏色，只要畫家的心境與氣息，以至凡有畫家就有創作。但先得認知，這個成熟的創作能力，是曾經歷了許多創作的層次與縱橫關係的漸進、凝聚而成的，不過並無定規，也非凡學畫者人人皆可得到的能力，但這種能力在畫的創作上絕對是存有的！

【註釋】

註　一：劉文潭，「現代美學」（台北市：台灣商務印書館，一九六七年七月初版，一九七五年十月五版），頁一八八—一八九。

註　二：朱光潛，「文藝心理學」（台北市：台灣開明書店，一九六九年十二月重一版，一九九三年二月新排三版），頁一〇。
註　三：趙雅博，「文學藝術心理學」（台北市：藝術圖書公司，一九七六年二月出版），頁五八。
註　四：鄭昶，「中國畫學全史」（台北市：台灣中華書局，一九五九年 十二月台一版），頁一九二。
註　五：虞君質，「藝術春秋」（台北市：文星書店，一九六六年十一月二十五日），頁三〇—三二。
註　六：葉朗，「中國美學史大綱」（台北市：滄浪出版社，一九八六年九月初版），頁二八六。
註　七：畢卡索等著，呂晴夫編譯，「畢卡索藝術的秘密」—新潮文庫一三（台北市：志文出版社，一九七五年九月再版），頁一五二。
註　八：唐朝張彥遠，「歷代名畫」，中國畫論類編（台北市：河洛圖書出版社，一九七五年五月台景印初版），頁三六。
註　九：同註二，頁二一一、二一二。
註一〇：同註三，頁二一五。
註一一：同註三，頁二一六。
註一二：羅丹口述，葛賽爾筆記，「羅丹藝術論」（台北市：雄獅圖書公司，志文出版社，一九七五年九月再版），頁一〇、三二。
註一三：同註七，頁九六。

註一四：同註七，頁九七—九八。
註一五：同註六，頁三三二。
註一六：旅法畫家朱德群的作品與生活，（聯合文學第四卷三期第三九期，一九八八年一月出版），頁一六五—一六六。
註一七：同註七，頁二一五。
註一八：同註三，頁二六。
註一九：同註三，頁二九。
註二〇：同註三，頁二六。
註二一：同註三，頁二五。
註二二：康定斯基著，呂澎譯，「論藝術裡的精神」（台北市：丹青圖書有限公司，一九八七年二月二十八日出版），頁一四一。
註二三：同註三，頁二九。
註二四：同註七，頁一七三。
註二五：同註三，頁二八。
註二六：同註三，頁二八。
註二七：同註三，頁二八。

註二八：同註七，頁一五四。
註二九：日人渡邊护著，葉長海譯，「藝術學」（板橋市：駱駝出版社，一九九一年六月出版），頁二七四。
註三〇：同註二九，頁二七五。
註三一：書同註三，頁一七。
註三二：同註一七，頁一六七。
註三三：馬諦斯，馬諦斯的畫論；同註一，頁三四二。
註三四：同註一，頁三四一。
註三五：宋朝鄭所南，詩：容天圻，「庸齋談藝錄」（台北市：台灣商務印書館，一九六七年十月初版，一九七〇年五月二版），頁二一—三一。
註三六：劉文潭，「藝術品味」（台北市：台灣商務印書館，一九七八年五月初版，一九九二年九月第四版），頁五五—五七。
註三七：同註二，頁二〇六。
註三八：同註三，頁一二五。
註三九：同註二，頁二〇六。
註四〇：同註三，頁一二〇—一二二。
註四一：同註三，頁一二二。

註四二：同註三，頁一二五。
註四三：同註三，頁一二〇——一二一、一二二、一二五。
註四四：趙雅博，「抽象藝術」（台北市：大中國圖書公司，一九六六年五月增訂一版）。頁四八。
註四五：皮爾博士，彭歌譯。「人生的光明面」（台北市：純文學出版社，一九七八年六月二版），頁三一。
註四六：同註二，頁三。
註四七：同註三，頁一八二。
註四八：宋朝沈括，「論畫山水」，同註八，頁六二六。
註四九：同註七，頁一〇二。
註五〇：同註三六，頁六二——六三。
註五一：何恭上，「現代繪畫叢談」（台北市：藝術圖書公司，一九七七年八月初版），頁一五一——一五二。
註五二：李可染著，王琢輯，「李可染畫論」，丹青文庫二二，頁六。
註五三：同註五二，頁七。
註五四：同註一七，頁一六七。
註五五：同註一七，頁一六七。
註五六：趙無極，梵思娃、馬凱著，「趙無極自畫像」（台北市：藝術家出版社，一九九二年一月十五日出版），頁三五。

註五七：清朝戴熙，「習若齋題畫」。同註八，頁九九〇。

註五八：「談文學」（台北市：台灣開明書店，一九五八年六月台一版，一九七二年三月台九版），頁七五。

註五九：同註一，頁三三五。

註六〇：清朝沈宗騫，「芥丹學畫編」卷一。同註八，頁九〇九。

註六一：同註六〇，頁九〇九。

註六二：清朝沈宗騫，「芥丹學畫編」，同註八，頁九〇八。

註六三：同註八，頁九〇〇。

註六四：清朝華翼綸，「畫說」，同註八，頁三〇九。

註六五：同註五六，頁一五五。

註六六：同註五六，頁四四。

註六七：同註七，頁一七四。

註六八：同註七，頁一七五。

註六九：同註七，頁一七三。

註七〇：同註七，頁一〇七－一〇八。

第八章 結論

水墨山水畫，並非全是用墨，其實更多用顏色，所以絕不排斥色彩，而且色彩與水墨既不衝突，又不矛盾，因爲墨爲灰黑白，是色彩中的無彩色，無彩色在色彩中最沒排斥性且有和平共處與助他性，但由於篇幅之限，更重要是有其色彩學範疇，再者顏色是與人的視神經有關，與科學也有關的一門學問，筆者不敢在色彩學上探討，這項研究工作應交託給其他學者專家。

再者，爲水墨山水畫創作發展的理念，當該將根基紮穩，確切地了解中國水墨山水畫的特質與優點，並要學習穩當，而後更得開闊胸懷，廣納歐美，土著與原住民諸原始繪畫等理念，爲我水墨山水畫注入新血輪，以成中國的新生命。換言之，防一味抄襲西畫後的改頭換面，而充當中國水墨山水新貌之騙局。

中國水墨山水畫不僅能將舊日故步自封的傳統國畫一新面貌，並能隨著時代更得新生命；的確能貢獻並主導世界畫壇。於現代而言，水墨山水畫足能發展創作前途，主要在於其水墨畫的內涵有筆情墨趣、餘白空靈、詩情畫意、意境參天、文章透視性與高雅人品的特質。

水墨山水畫的本質不同於西畫者，在於其獨特本性：是根、是土、亦母、亦種。其中，人品之高雅更是水墨山水畫特質中的獨特要素，並不是說西畫作者不重視人品高下，而是中國水墨山水畫家，非得有高雅的品德，才能夠作出上品的畫。中國水墨山水畫家重人品，而人品並非指三從四德下的人倫、道德性的狹義人品論；而是畫家對繪畫的眞誠、負責、純情與犧牲的品德操守。因此若爲了畫的創作而大門不出二門不邁，畫家定能遵守；若爲了畫的創作，畫家當要爬山涉水，餐風露宿，畫家也必欣然遵守。爲繪畫而創作的人品，也即是本文的畫家藝術心，堅守藝術心的情操，是畫家的「心畫」與「心印」，爲人格的再現。

「學畫者先貴立品，立品高的人，筆墨外自有一種正大光明之氣質。否則，畫雖可觀，卻有一種不正之氣。躍現毫端，文如其人，畫亦其然。」（註一）「畫面一切，皆我之精神、我之生命，我之人品不高，欲求畫格之高，其可得乎？」（註二）也正由於人品對畫品之重要性，特將水墨山水畫特質中的人品高雅，示爲畫家心源之整合，而列爲專章論述。

學習水墨山水畫不以任何成規、流派、畫法、素材、工具或傳統上的理念爲束縛，但卻嚴格限制臨摹，而以寫生代替臨稿；因爲寫生與觀察能尋找物我之間的親切感。檢視水墨山水畫發展迄今，自有其缺失，臨摹尤爲弊端之最，所以不論教畫、學畫乃至評畫，應嚴守不臨摹不抄襲的立場，嘗試從寫生中得構圖，得取捨，得親切，得靈感，進而得創作之源。再者，也不爲名利的目的而作畫，祇在極度自由自主的心境之中追求創作。

畫家一旦選擇了水墨山水畫時，就當認清它是一種不平凡的事業，縱然一生多是失敗或見不到丁點成果，仍不能稍有怨言後悔。其折磨程度正如清朝沈宗騫所言：「要知從事筆墨者的初十年，僅得略識筆墨性情。又十年，而規模粗備，又十年，而神理少得。三十年後，乃可幾於變化。」（註三）而在畫人最高的指數僅止於能變化，到得心應手，隨心所欲的創作，不知還要遙遠幾千里？何況畫人並無公休假日，常常是夜夜勤奮繪畫，日日通宵達旦，歷程遙遠，規矩嚴苛，然而水墨山水畫的事業，祇因自己的熱愛，執著到底，終生不渝，正如李商隱《無題》詩云：「春蠶到死絲方盡，蠟炬成灰淚始乾」。畫家既以生命相許，因此，全部生活皆是為創作而生活的，所以終年，讀破古今中外聖賢書，祇為創作；行盡千山萬嶺，涉遍大海，為的創作；凝神專注萬象萬物，縱使如痴如呆，或時似癲似狂，也是為了創作；看畫讀畫為創作……讓生活是創作，讓時代是創作，讓畫家心如水銀瀉地，無孔不入，讓畫家筆毫點石成金，化腐朽為神奇；終究，視生命即創作，畫家即是畫品，舉手揮灑皆創作。

創造水墨山水畫，並無固定形式、方式、工具或素材，乃是以畫家心中的山水或抽象的意象為自然源頭，所以畫必須是帶有畫家個性的生命體，更須隨著畫家的成長而成長；卻並不因畫家消失而消失，因為水墨山水畫有超越時空能力，它並不一定是時代的物象，但卻有時代的氣息與精神。所以，水墨山水畫不怕別的時代的人去抄襲，卻將是另一個時代、另些畫家的起跑點和推動力。水墨山水畫不在乎贊同它的人數之多寡，但卻在乎著它自己是不是畫壇上創作品的一塊磚。

【註釋】

註 一：清朝王原祁，「麓台題畫稿」；傅抱石，「中國繪畫理論」，（東京：一九三四年九月），頁三一。

註 二：同上註，頁三一。

註 三：清朝沈宗騫，「芥舟為畫編」，中國畫論類編（台北市：河洛圖書公司，一九七五年五月台景印刷廠），頁九〇三。「近世士人，沉溺於利欲之場，其作詩不過欲干求卿相，結交貴游弋取貸利，以肥其身家耳作畫亦初下筆時胸中先有成，某幅贈達官，必不虛發，某幅贈某富翁，必得厚惠是其卑鄙陋劣之見，已不可響邇無論其必不工也，即工亦不過詩畫之蠹耳！」清盛大夫谿山臥遊錄約公元一八一〇年前後，同註一（中國畫論類編），頁二六六。

主要參考文獻

一、專門著作部分

1.大村西崖，陳彬龢譯。「中國美術史」。台北：台灣商務印書館，一九六七年三月台一版，一九六八年五月台二版。
2.王慶生。「繪畫：東西文化的衝撞」。台北：淑馨出版社，一九九二年初版。
3.丰子愷。「丰子愷論藝術」。台北：丹青圖書公司，一九八七年一月台一版。
4.台灣開明書店編。「談文學」。台北：台灣開明書店，一九五八年六月台一版，一九七二年三月台九版。
5.台灣開明書店編。「繪畫與文學」。台北：台灣開明書店，一九五九年三月台一版，一九六八年四月台二版。
6.台灣開明書店編。「藝術趣味」。台北：台灣開明書店，一九六〇年四月台一版，一九八二年九月台九版。

7.朱光潛。「西方美學史」上下冊。台北：漢京文化公司，一九八二年十月三十一日初版。
9.生活空間之美。台北：市立美術館，美術論叢二十八，一九九一年五月。
10.皮爾博士，彭歌譯。「人生的光明面」。台北：純文學出版社，一九七八年六月二版。
11.朱光潛。「文藝心理學」。台北：台灣開明書店，一九六九年十二月，重一版，一九九三年二月新排三版。
12.朱光潛。「詩與畫的界限」。台北：駱駝出版社，藝術叢刊十四。
13.伍蠡甫。「談藝錄」。台北：台灣商務印書館，一九六六年十二月台一版，一九六八年五月台二版。
14.伍蠡甫。「山水與美學」。台北：丹青圖書公司，一九八七年一月台一版。
15.托爾斯泰，耿濟之譯。「藝術論」。台北：地平線出版社，一九七〇年八月初版。
16.杜潔祥（發行）。「美學百題」。台北：丹青圖書公司，丹青文庫十九。
17.杜學知。「未堂論畫」。台北：台灣商務印書館，一九七〇年五月初版。
18.李可染，王琢輯。「李可染畫論」。丹青文庫二三。台北：丹青圖書公司，一九八一年三月。
19.李霖燦。「藝術欣賞與人生」。台北：雄獅圖書公司，一九八六年二月。
20.汪伯琴。「藝事管窺」。台北：台灣商務印書館，一九七〇年五月初版。
21.何恭上。「現代繪畫叢談」。台北：藝術圖書公司，一九七二年元月初版。

22.邢光祖。「邢光文藝論集」。台北：大漢出版社，一九七七年八月。
23.伯精。「論山水畫」。台北：台灣學生書局，一九七一年十月初版。
24.河洛出版社編。「中國畫論類編上冊」。台北：河洛出版社，一九七五年五月初版。
25.宗白華。「美學的散步」。台北：洪範書店，一九八一年八月。
26.林興宅。「藝術魅力的探尋」。台北：台灣谷風出版社，一九八七年五月初版。
27.紀野義一，葛逢時、姚兆如合譯。「談禪」。日本。
28.「故宮書畫錄」。台北：國立故宮博物院印行，一九六五年七月。
29.姚一葦。「藝術的奧秘」。台北：台灣開明書店，一九六八年二月初版，一九七一年十一月三版。
30.俞崑。「中國繪畫史」。台北：華正書局，一九七五年九月台一版。
31.唐君毅。「中國人文精神之發展」。台北：台灣學生書局，一九七九年三月五版。
32.容天圻。「庸齋談藝錄」。台北：台灣商務印書館，一九六七年十月初版，一九七〇年二版。
33.容天圻。「藝人與藝事」。台北：台灣商務印書館，一九六八年十二月初版，一九七一年二月二版。
34.孫子威。「情人眼裡出西施——美的沉思」。台北：丹青圖書有限公司，一九八七年六月十五日。
35.徐復觀。「中國藝術精神」。台北：台灣學生書局，一九六六年二月初版，一九七九年九六版。
36.康定斯基，呂澎譯。「論藝術裡的精神」。台北：丹青圖書有限公司，丹青文庫一，一九八七年二月二十八日。
37.陳鼓應（註譯）。「莊子今註今譯」。台北：台灣商務印書館，一九九二年十月十一版。
38.陳師曾。「中國文人畫之研究」。（辛酉大雪北京蓮花盦貴筑姚葦茫父序）
39.傅抱石。「中國繪畫理論」。東京：一九三四年九月。
40.傅抱石。「中國古代山水畫之研究」。台北：中華藝林文物出版社，一九七六年十一月卅一日。
41.渡邊护，葉長海譯。「藝術學」。台北：台灣駱駝出版社，一九九一年六月。
42.葉朗。「中國美學史大綱」上下冊。台北：滄浪出版社，一九八六年九月。
43.張彥遠。「歷代名畫記」。台北：廣文書局，一九七一年六月。
44.畢卡索等，呂晴夫編譯。「畢卡索藝的秘密」。新潮文庫一三。台北：志文出版社，一九七五年九月再版。
45.趙雅博。「抽象藝術論」。台北市：大中國圖書公司，一九六六年五月增訂一版。
46.趙雅博。「文學藝術心理學」。台北：藝術圖書公司，一九七六年二月。
47.趙無極。梵思娃、馬凱。「趙無極自畫像」。台北：藝術家出版社，一九九二年一月十五日。
48.虞君質。「藝苑精華錄」（第一輯）。曾刊登於台灣新生報專欄。台北：一九六二年一月。
49.虞君質。「藝術概論」。台北：大中國圖書公司，一九六八年五月初版。
50.虞君質。「藝術論叢」。香港：亞洲出版社，一九五八年七月初版。

51.虞君質。「藝苑春秋」。台北：文星書店，一九六六年十一月廿五日。
52.蔡秋來。「宋代繪畫藝術成就之探研」。台北：文史哲出版社，一九七七年十一月初版。
53.鄭昶。「中國畫學全史」。台北：台灣中華書局，一九五九年十二月台一版。
54.潘天壽。「潘天壽談藝錄」。台北：丹青藝術叢書，一九八七年一月。
55.劉文潭。「現代美學」。台北：台灣商務印書館，一九七五年十月五版。
56.劉文譚。「藝術品味」。台北：台灣商務印書館，一九九二年四月初版第四次印刷。
57.謝冰瑩、李鍌等。「新譯四書讀本」。台北：三民書局，一九八七年八月初版，一九九〇年三月修訂三版。
58.羅丹（口述）。葛賽爾（筆記）。「羅丹藝術論」。台北：雄獅圖書公司，一九八三年五月。

二、單篇畫論部分

1.王微。「敘畫」。約公元四四〇年前後。
2.王昱。「東莊論畫」。約公元一七三〇年前後。
3.王原祁。「雨窗漫筆」。約公元一六八〇年前後。
4.王素峰。「東西交併的火花—論早期中國幾位旅法畫家在中西融合精神表現上的繪畫風格之異同」。美術論叢一五：中國—巴黎—早期旅法國中國畫家研究。台北：台北市美術館。
5.方薰。「山靜居畫論」。約公元一七八〇年前後。

6.布顏圖。「畫學心法問答」。約公元一七四〇年前後。
7.朱景玄。「唐朝名畫錄序」。約公元七六〇年前後。
8.朱德群先生語錄。台北：藝術家。一九七八年四月。
9.「朱德群的作品與生活」。聯合文學。台北：一九八八年一月，第四卷第三期，第三九期。
10.李日華。「畫媵」。約一六二〇年前後。
11.李日華。「論畫山水」。約公元一六三〇年前後。
12.李日華。「竹嬾論畫」。約公元一六二〇年前後。
13.李式玉。「赤牘論畫」。約公元一六三〇年前後。
14.沈括。「論畫山水」。約公元一〇七〇年前後。
15.沈宗騫。「芥舟學畫編」。公元一七八一年。
16.宗炳。「畫山水序」。約公元四三〇年前後。
17.林風眠。「東西藝術之前途」。台北：藝術家。一九八三年三月，第九四期。
18.范允臨。「輸蓼館論畫」。約公元一六〇〇年前後。
19.姚夢谷。「中國水墨畫探源」。台北：台灣美術學報，創刊號。
20.唐志契。「繪事微言」。公元一六二〇年前後。
21.唐岱。「繪事發微」。約公元一七五年前後。

22.荊浩。「筆法記」。約公元九二〇年前後。
23.荊浩。「山水節要」。公元九二〇年前後。
24.徐沁。「明畫錄論宮室山水」。約公元一六三〇年前後。
25.袁金塔。「試論水墨畫創作上的一些基礎問題」。美術論叢九。現代水墨畫。台北：台北市立美術館。
26.張璪。「文通論畫」。約公元七五〇年前後。
27.張彥遠。「論畫山水樹石」。公元八四七年。
28.張庚。「浦山論畫」。約公元一七五〇年前後。
29.張夢機。「詩人創造空間」。美術論叢二八。生活、空間之美。台北：市立美術館。
30.張繼生。「林風眠藝術的見解與折衷主義」。美術叢論一五：中國—巴黎—早期旅法中國畫家研究。台北：台北市立美術館發行，一九八九年五月四日。
31.符載。「觀張員外松石序」。約公元七五〇年前後。
32.莫是龍：「畫說」。約公元一五九〇年前後。
33.郭若虛。「圖畫見聞志敘論」。公元一〇七四年。
34.郭熙。「林泉高致」。公元一〇八〇年。
35.盛大士「谿山臥遊錄」。約公元一八一〇年前後。

36.笪重光。「畫筌」，約公元一六七〇年前後。
37.費漢源。「山水畫式」。約公元一七四〇年前。
38.無名氏。「畫山水歌」。
39.華翼綸。「畫說」。約公元一八五〇年前後。
40.董其昌。「畫禪室論畫」。約公元一六二〇年前後。
41.董棨。「養素居畫學鈎深」。約公元一八〇〇年前後。
42.道濟。「苦瓜和尚畫語錄」。約公元一六六〇年前後。
43.鄭績。「夢幻居畫學簡明」。公元一八六六年。
44.鄧椿。「畫繼雜說」。約公元一一七〇年前後。
45.劉國松。「我的老師」。台北：中國時報，一九八七年。
46.錢杜。「松壺畫憶」上卷。約公元一八二〇年前後。
47.韓拙。「山水純全集」。約公元一一二一年以前。
48.謝肇淛。「五雜俎論畫」。約公元一六〇〇年前後。
49.戴熙。「習若齊畫絮」。約公元一八五〇年前後。
50.藝術家編委會。「藝術家」。台北：藝術家雜誌社，第三三卷第二期。